GRUSEL-CLU

惊恐小虎队

SHEI SHI GUAIWU ZHIZAO ZHE · GUANMU LI DE JINGSHENG JIANJIAO

谁是怪物制造者 · 棺木里的惊声尖叫

［奥］托马斯·布热齐纳 著 ［德］诺拉·诺瓦茨基 绘
胡 越 罗 珏 译

桂图登字：20-2010-343

Title of the original German edition:
Grusel-Club: Der echte Dr. Frankenstein

Grusel-Club: Der Vampirsarg

Written by Thomas C. Brezina
www.thomasbrezina.com
First published by Egmont Franz Schneider Verlag GmbH, Munich
www.schneiderbuch.de
Lic: HERCULES Business & Culture GmbH

图书在版编目（CIP）数据

谁是怪物制造者；棺木里的惊声尖叫/（奥）布热齐纳著；（德）诺瓦茨基绘；胡越，罗珏译.—南宁：接力出版社，2011.7
（惊恐小虎队）
ISBN 978-7-5448-1908-4

Ⅰ.①谁… Ⅱ.①布…②诺…③胡…④罗… Ⅲ.①儿童文学－侦探小说－作品集－奥地利－现代 Ⅳ.①I521.84

中国版本图书馆CIP数据核字（2011）第111226号

责任编辑：周　锦　周　游　　美术编辑：小　璐
责任校对：王　静　责任监印：刘　元　版权联络：董秋香　媒介主理：马　婕

社长：黄　俭　　总编辑：白　冰
出版发行：接力出版社
社址：广西南宁市园湖南路9号　　邮编：530022
电话：0771-5863339（发行部）　010-65545240（发行部）
传真：0771-5863291（发行部）　010-65545210（发行部）
网址：http://www.jielibeijing.com　　http://www.jielibook.com
E-mail:jielipub@public.nn.gx.cn

经销：新华书店

印制：北京朝阳印刷厂有限责任公司
开本：800毫米×1130毫米　1/32
印张：6.5　插页：8　字数：140千字
版次：2011年6月第1版　印次：2011年6月第1次印刷
印数：00 001—20 000册
定价：15.00元

致亲爱的中国小读者

大家好！我是你们的老朋友，托马斯！

我们的小虎队又有新任务了！我是不是太直奔主题啊，呵呵……不管怎样，咱们熟人就不客套了，我先提醒你们，这次的冒险与以往相比，真的超级惊险！我们又要准备出发了，分散在各地的小虎们请注意，小虎队冲锋号已经响起，我们要再次集结，进行更刺激的探险！

你们肯定想知道这次全新的探险灵感是怎么产生的吧？几年前，我在伦敦的一家旅馆醒来，感觉好像有人在盯着我。在我的床脚边，站着三个透明的幽灵，一声不吭，只是盯着我。当时我害怕极了，我就说："请你们不要吓唬我，我需要你们的保护。"我的话刚一说完，三个幽灵就化做一团蓝色的烟雾消失了。

也许这只是我的梦。

这个梦让我感到恐惧，谁知道，这三个幽灵到底是谁呢？

在这次全新的探险里，你们可以一起追踪各类怪物，破解各种谜团，让我赐予你们勇气和智慧吧！其实，也没有什么可怕的！你说呢？

哦，对了，我们小虎队终于有自己的杂志啦！大家赶紧落泪拥抱吧，哈哈！那么请大家关注每本书后附上的充满爱意的精彩内容，更欢迎大家都来踊跃为杂志提供新鲜的好玩的内容！

再次重申，这次的冒险可不是闹着玩的，作好准备了吗？勇敢机智的小虎们，大声喊起我们的口号，向全新的未知的惊险前进吧！

Thomas C. Brezina

欢迎你来到惊恐小虎队

在法尔肯费尔斯城堡里，住着一位名叫埃拉斯穆斯·卡茨的教授。他的专长是研究幽灵以及超自然现象。教授的儿子尤比特以及尤比特的表妹薇姬和表弟尼克在这里创建了惊恐小虎队，这个城堡就是他们的碰头地点。

你也可以成为惊恐小虎队的一员！

惊恐小虎队成员

姓名：尤比特 · 卡茨

年龄：十三岁

特征：头发蓬松，不论走到哪里都会随身带着他的记事本；他还有一只宠物，是一只名叫可可的温驯的乌鸦

擅长：追踪各种各样的幽灵、做饭、做家务

格言：循规蹈矩的人，总是懒于去发现新东西。

签名：Jupiter Katz

姓名：薇姬 · 施瓦茨布施

年龄：即将满十三岁

特征：戴眼镜，铅笔老夹在耳朵后面，总是嚼着口香糖，讨厌数学，还讨厌一个真正的小鬼：她的弟弟尼克

擅长：骑马、猜谜以及去神秘的古堡探险

格言：钱为什么总是不够花呢？

签名：Vicky Schwarzbusch

姓名：尼克·施瓦茨布施

年龄：十一岁

特征：红头发，有各种各样的帽子和数不清的裤兜

擅长：恶作剧、运动、奇思怪想、惹他姐姐生气

格言：如果一只眼睛放在了桌子上，那一定是有鬼！

签名：Nick Schwarzbusch

你的会员卡：

姓名：

年龄：

特征：

擅长：

格言：

签名：______________

欢迎你成为惊恐小虎队的成员

你的装备

照魔镜：在一些画面上会出现魔鬼，只有用照魔镜才能看得到。请把照魔镜贴在画面的灰色部分，慢慢地转动，魔鬼就会现形。

惊恐小虎队

杂志

小心！缠错了！

想象一下，你们将要变成木乃伊。狭长的亚麻布条慢慢地缠在了你们的腿上，胸膛上，手臂上，最后缠在了你们的脑袋上。

你们感觉到身体变轻了、变干了。

你们再也不能正常

惊恐小虎队杂志：

杂志介绍了所有重要的信息，同时还有对付幽灵的计策、关于幽灵的笑话以及许多不可思议的神奇故事。

惊恐小虎队礼物：

每一次惊恐小虎队都会有一份让你意想不到的惊喜送给你！

你在惊恐小虎队里的积分

每次历险都会有积分，你要回答问题、作出决定、找出魔鬼。

用你的照魔镜放在问题下面的灰色方块上，你就能知道回答是否正确，加多少分。

把你的积分放在右图的刻度表上，就知道你在惊恐小虎队有多棒了！

准备好了吗？OK！

下面，惊恐小虎队新的一次冒险就要开始了！

当心！这可不是胆小鬼的游戏。

目录

谁是怪物制造者

棺木里的惊声尖叫

谁是怪物制造者

谁是夜行人

“我不相信，决不！”这是今天晚上薇姬第十次这么说了。

尼克翻翻白眼：“你太紧张了，姐姐。你不信那你来这儿干什么？”

尤比特不耐烦地呼哧着：“你们别吵行吗？轻点声，你们这可是在墓地里。”

要是当时让尤比特、薇姬或尼克在这种时候独自来，估计就没人赞成这个主意了。

这是十月份一个寒冬的夜晚，刚过八点。地面上升起的雾气像一层灰色的毯子一样笼罩着大地，越来越重。墓石和墓碑突出在地面上，就像城堡沉没后露出的城垛。

惊恐小虎队的三个成员拿着手电筒在墓地穿行，不停地朝四周张望。

“如果他真的来了怎么办？”尼克问。他很紧张，声音有点发抖。

“那你就躺到地上，希望他没看到你。”尤比特嘲笑道。

“啰唆！”尼克骂道，“认真说，如果传闻是真的，我们该怎么办？”

薇姬拼命摇头：“这不是真的，不是。”

就在这时，充满雾气的夜色中出现了一点跳跃着的红光，大约在三十步开外。

“关掉手电！”尤比特命令道。

咔嗒三响后，惊恐小虎队的成员们就身处一片黑暗之中。他们紧张地屏住呼吸，两眼紧盯着渐渐逼近的红色光斑。

“快找地方躲起来。”薇姬轻声说道。

三人踮起脚走到一边，躲到了一块墓石背后。墓石上站着两个救难天使。他们小心翼翼地将头探了出去，紧张地等待将要发生的一切。

光是从一只老式的煤油灯里发出来的，它被挂在一根弯曲的长棍子上。每走一步，棍子就会发出刺耳的声音。走在坑坑洼洼的石子路上的人影渐渐清晰了。

这人走路时身子有点往前倾，一路上还不停地朝四周张望。说不出他是男是女，因为他穿着深色的长披风，只有拿着灯的手露在外面。头上还戴着一顶帽子，宽宽的帽檐盖住了脸部。

薇姬在努力保持镇定。

“现在你该相信他的存在了吧？”尼克小声问道。

“也许只是碰巧而已。他可能只是来探墓。”薇姬回答道。

“在这个时间，这种天气？”尤比特敲敲前额。

这就是说，确实有一个弗兰肯斯坦博士喽?”薇姬轻声说道。她更加害怕了。

“表面上是这样。”男孩们说。

被称为弗兰肯斯坦博士的人拐进了一条小路，朦胧的灯光在墓间忽闪忽闪的。

“他去哪儿?”薇姬很想知道。

尤比特猜想着这个穿长披风的家伙想去干什么。“如果这事真和弗兰肯斯坦博士有关，我能猜到他在这儿找什么。”

薇姬没听明白：“什么意思？”

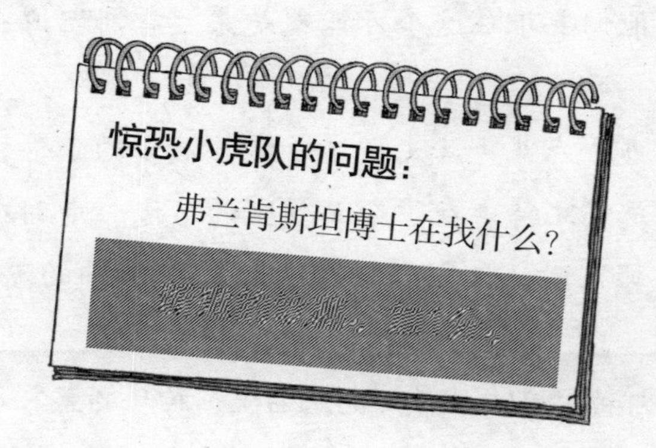

蒙面人

尤比特征求意见似的朝他的表妹和表弟看了看。不用说，他们俩就明白了他的意思，点头表示同意。

对，他们要跟踪这个可能就是弗兰肯斯坦博士的神秘男子。

要不发一点儿声音走过这条铺着石子的小路可不太容易，于是尤比特走在了杂草蔓生的路边。走到人影消失的小路那儿时，他们躲到了一棵枝节嶙峋的灌木后，探头张望。

煤油灯被搁在一块低处的墓石上。神秘的黑衣人正准备将堆在一座新墓上的花环和鲜花挪到一边。他动作飞快地进行着，还不时向四周警惕地观望，以免被人发现。

薇姬害怕得眼镜都从鼻梁上掉了下来，男孩们的腿

也软了。

“这……这家伙……这家伙来真的。”尤比特喘着气，他原本不是那么容易被吓倒的。

尼克打了一阵寒战：“你是说，他……他真的要把棺材挖出来，为了……为了把死人……”他说不下去了，他已经透不过气来了。

墓地的另一头也亮起了一盏灯，惊恐小虎队的成员们急忙藏到另一棵灌木后。

灯光很强，而且在飞快地移近。有人正在朝这边跑过来，已经能听得见沉重的脚步声了。黑衣人直起身，朝夜幕中望去。

有人从一块墓碑后跳了出来，一柱强烈的手电光照向了神秘人。

“你在这儿干什么？”一个声音低声质问道。成员们没听出到底是谁发出的声音。

墓边的神秘人将煤油灯猛地一掀，拎起大衣以免绊脚，就开始逃跑。

“站住，别跑！”打着手电的男子大喝道。

可这个陌生人根本没听。他以惊人的速度灵活地越过狭窄的小路，拐了个弯儿就消失在夜色中。

另外那个男子并没有尽力去追赶，他只是焦躁地走来走去，目光尾随着逃跑的那人，嘴里咕哝着不明所

以的话。他转过身，手电光照在了他的脸上。

惊恐小虎队的三名成员看到后大吃一惊。一块三角巾遮住了这名男子的鼻子和嘴，看上去像个土匪。他还长了一对目光犀利的小眼睛，又长又油腻的黑发贴在他的脑袋上。

尼克笨拙地向后退了一步，刚好踩在一根枯枝上，树枝折断后咔嚓响了一声。

男子警觉地将手电照向他们这边。

“谁在那儿？”他用低沉的声音喊道。由于脸上蒙着布，声音听起来沉闷，而且使人感到窒息。

几秒钟后，什么也没有发生。男子终于转过身，踩着沉重的脚步消失在夜幕中。

“你们叫我胆小鬼也好，我只想回家去！”尼克老老实实地说。

“我也是。”薇姬也同意。

尼克惊奇地看着她：“真是破天荒，姐姐第一次和我有相同的意见。”

蛛丝马迹

尤比特回到法尔肯费尔斯城堡时已经过了十点，父亲工作室的小窗里还透着泛黄的灯光。卡茨教授一定又在写关于幽灵和其他超自然现象的报道文章了。

这座城堡原本该叫法尔肯费尔斯废墟的，因为城堡内几乎没剩下什么房间可用。埃拉斯穆斯·卡茨教授花了几年工夫在废墟上建起了厨房、浴室和四个房间：给自己和尤比特各一个卧室，一个起居室，还有一个工作室。

大门也应该顺便修一下的，尤比特想。他打开锁，尽量不让门发出声音。

这可不大容易。门上的木头一动就嘎吱作响，好些年没上油的门轴也唱起了歌。

尤比特将门推开一条缝，闪了进去，锁上门。他踮起脚走上楼梯，蹑手蹑脚地经过工作室。正在为没被父亲发现而想松口气时，他听到了父亲平静的声音："晚上好，儿子。能到我这儿来一下吗？"

哦！父亲将尤比特偷偷进来的过程听得一清二楚。

"嗨，爸爸！"他假装轻松地打了个招呼。

卡茨教授黑色眼镜后投过来的目光充满了疑问。尤比特不安地换了换脚。

"我可等着呢！"父亲的语气还是那么平静。

尤比特明白再兜圈子已毫无意义。

“我刚才和薇姬还有尼克在一起。惊恐小虎队发现一起新案件。”他坦白道。

“啊哈，那么这次你们追踪的是什么样的幽灵呢？”尽管卡茨教授自己每天都在和不同寻常的事物打交道，但他对儿子组建的小虎队所从事的活动还是很不以为然。

“爸爸，你相信有弗兰肯斯坦博士这个人吗？”尤比特问道，他在父亲写字台前的靠背椅上坐了下来。

卡茨教授摇摇头：“弗兰肯斯坦博士是个小女孩想象出来的人物，连她自己也不会想到自己编的故事居然那么出名。”

“那么如果有人在深夜还出没于墓地，搬动新墓上的花环，你又怎么看呢？”

“什么？如果真有这种人，那就应该报告警察。这简直太疯狂了！”教授审视着他的儿子，“你是说，你们听到了有关这个传闻了吗？”

“不只是听说，我们甚至还亲眼看到了。”尤比特承认道，看到父亲伸手去取电话时他又飞快地说道，“还有一个人在他后面。他可能是警方的人。”

卡茨教授靠回椅背交叉双手。“尤比特，这件事你别插手！”他恳切地说。

尤比特沉默了。他不想承诺自己办不到的事。

“我……我得去睡了。”他起身回避。

“从明天起，夜里不许外出，不然别怪我不客气。”父亲厉声说道。

城堡里只有尤比特和父亲两人居住。母亲去世已有一段时间了，从那时起，尤比特就开始操持家务。卡莰教授对此不太在行，他的精力总是太分散了，对于实际

的事务老是缺根筋。

尤比特对于关禁闭这样的惩罚没有概念。一般他总能遵守父亲定下的规则，不过这次他可不能保证自己会不会在不久后又再次跑回墓地继续进一步侦查。一段时间以来，城里流传的有关弗兰肯斯坦博士的传闻不可能是空穴来风。不是吗?

第二天早上尤比特睡过了头，带着疲惫，他骑车来到了学校。薇姬和尼克已经等着他了。他们用力挥着手朝他快跑过来。

“出什么事了？”尤比特惊奇地问道。

“我们……我们想到有个人可能就是这个弗兰肯斯坦博士。”两人说。

惊恐小虎队的问题:
两人说的是谁?

亲切的弗朗西斯先生

尤比特不太敢相信。

“这……这不会吧！”他能说的只有这一句。

“可……可一定就是这样，”薇姬肯定地说，“你也想到了吧，不只是我们。”

“但是……但是这不可能！不会是弗朗西斯先生。”尤比特摇头说道。

“他的身形和那个弗兰肯斯坦博士一模一样。”尼克轻声说，“想想墓地里的那个黑影。”

“不会是弗朗西斯先生……这……这不可能！”尤比特费力地吐出几个字。

“这世间你想不到的事情多得很呢！”薇姬说话像个大人。

尤比特和尼克翻了个白眼：“哟，我们的教授小姐又在宣扬她的至理名言了。”尤比特尖刻地说道。

上课的钟声将他们唤进了教室。整节课尤比特的思绪都停留在了那个关于弗朗西斯先生的可怕想法上。

弗朗西斯先生在学校教美术，学生们很喜欢他。他的课上得很活跃，从不无聊。比如有一次他就和学生一起——有点像美国的艺术家——将学校所有的桌椅都用包装纸包成了棕色。

尤比特打开数学练习册，翻到最后一页写道："为什么像这样一个美术老师要在深夜潜入墓地？"

弗朗西斯先生真是那个弗兰肯斯坦博士吗？

课间休息时，惊恐小虎队的三人在学校花园里散起步。尤比特心中有一个强烈的疑问："薇姬，你是从谁那儿听到有个弗兰肯斯坦博士在墓地出没的传闻的？"

薇姬想了想说："我想是在蔬菜店老板娘梅尔策夫人那儿听说的。"

"那么她又是听谁说的呢？"尤比特继续问道。

这下薇姬只是耸了耸肩。

"无论如何我们都得问问她。"尤比特建议。

"我们还得注意点弗朗西斯先生。"尼克这么认为。

接下来他们分配了任务：薇姬去拜访梅尔策夫人；男孩们骑车去弗朗西斯先生家。

放学后薇姬绕远走经过蔬菜店的那条路。梅尔策夫人是个多嘴的小个子女人，让人想起某种鸟。她似乎总在店里扑腾来扑腾去，脑袋在那里不停地动啊动的。

正好店里没有其他顾客，薇姬就直接进入正题。"是谁告诉您弗兰肯斯坦博士的事的？"她想知道。

梅尔策夫人立即将正在抛光的苹果扔到一旁。"是个小个子男人，他肯定才到你下巴那么高。他在我这儿买了梨，不过他什么也没说。"

薇姬没听明白:“那他怎么跟您说这个弗兰肯斯坦博士的事呢?”

“他的手机响了。他从店前走过,而我将电话的内容听得清清楚楚。”梅尔策夫人压低声音神秘兮兮地说,“他说:‘现在我肯定弗兰肯斯坦博士在这里落脚,我试着进入他的住所看看。’”

薇姬挑了挑眉毛。这听起来令人匪夷所思。

“您认识那个人吗?”她想知道。

梅尔策夫人使劲儿摇摇头:“他不是这儿的人。我认识住在这里的每一个人。”

“他什么时候来过这儿?”薇姬继续问道。

“我清楚地记得是在三天前,之后他就再没来过。”蔬菜店老板娘皱了皱眉,猛地一拍手,“天哪!他可能真的因为闯进弗兰肯斯坦博士的家而被抓起来了呢!”

“您最后一次见到那人是在什么时候?”薇姬并未放松。

“三天前!”梅尔策夫人说。

薇姬道谢后离开了蔬菜店。她正想骑车回家,愣了一会儿后又转头骑往另一个方向。

GEMÜSE-MELZER
惊恐小虎队的问题：
薇姬为什么没直接回家？

阿玛德乌斯街 23 号

尤比特和尼克出发时才想起他们不知道弗朗西斯先生的住址。

“该问谁好呢?”尤比特想。

尼克同情地朝他笑笑，指指电话亭。“我们查查电话本就一清二楚了。”

一分钟后尼克走了回来，脸拉得老长。“电话本里没有弗朗西斯先生的地址。”

“好极了！我们的智多星现在还有什么建议吗?”尤比特讽刺地说。

“我刚才已经出过主意了，现在轮到你了。”尼克回道。

就在这时，校长特奥多拉·那格尔从学校走了出来。她的头发像往常一样梳得一丝不苟，很有艺术地向上隆起。

尤比特打算说个不算谎言的谎话。他走到校长夫人面前有礼貌地问道:“对不起，您可以告诉我们弗朗西斯先生的住址吗?我们有件重要的事，只有他才能帮我们。”

那格尔校长用不信任的眼光打量着尤比特。“如果有学生问老师的地址，多半是想搞恶作剧或者进行报复。”

“我不会！”尤比特保证道。

“去年有几个捣蛋鬼拉来一车砖头卸在我家门口，害得我连自己的家也进不了。”校长夫人解释了原因。

尼克和尤比特强忍住笑。

“我在弗朗西斯先生那儿得了个1分。我可没想过要对他搞恶作剧。”尤比特神情严肃地说。他说的都是真的，尼克才是惊恐小虎队的恶作剧专家。

“好吧，可要小心别让我听到任何有关的投诉。”校长警告他们，“他住在阿玛德乌斯街23号。”

两人道了谢后就出发了。一路上他们问了好几次路，因为他们不认识这条街。半小时后他们终于到了。

阿玛德乌斯街是条阴暗的街道，看上去不怎么欢迎人的样子。街边的树木很古老，长得又高又大，遮住了日光。深灰色的房屋立在漆成黑色的铁栅栏后面，已经经历了不少年代。

23号是座三层楼的房屋，有两扇凸出的黑色百叶窗，窗子关得严严实实。

尼克克制住自己：“迄今为止我一直认为弗朗西斯先生不是坏人，可能我们弄错了。”

“要按铃吗？”尤比特轻声问了一下他的表弟。

“不然怎样？”尼克愤愤地埋怨道，看来他非常恼火。

尤比特突然想起了什么：“弗朗西斯先生开的是一辆什么样的车？”

这个尼克知道得特别清楚，他对汽车很感兴趣。“他总是开一辆黑色老式大众甲壳虫来学校。”

男孩们用目光搜索了一下街道，没发现那辆甲壳虫车。

“他不在。”尤比特断定，“我们……我们爬过栏杆看看吧。”

尼克立即表示同意，爬上了高高的栏杆。

尤比特扑哧一笑：“真像只动物园里的猴子。”

“呜……”尼克伸伸舌头，继续往上爬。他突然感觉到了什么，这是一阵火辣辣的刺痛。他一惊，停了下来。但是刺痛又一阵接一阵而来。

尼克轻喊一声，跳回了人行道。尤比特充满疑问地看着他。“出什么事了？”

“不知道……突然被刺了几下！”

“这个季节已经没有马蜂和蚊子了。”尤比特说。

尤比特抖抖肩也爬了上去。他还没爬多久就感到脸上被刺了一下。他摸了一下被刺痛的地方，可什么也没有摸到。

接下来他的耳朵和脖子上又各挨了一下。他只好停止爬杆回到地面来。

尼克很怀疑：“可能这栅栏有电，我们遭到了电击。”

尤比特可不这么认为：“电击应该是手上感觉到才对，而不是像脸部这种连栏杆都没碰到的地方。”

男孩们一筹莫展。

“这儿可能闹鬼了。”尼克猜想。

惊恐小虎队的问题：
哪儿来的针刺感？

黑猫旅馆

薇姬确实感到自己很害怕。尽管是在凉爽的秋天，在跟踪那名男子时，她还是出了很多汗。她把自行车锁在了停车架上，步行可以让她不那么显眼。

脸上蒙着黑布的男子快步走过街道。他低着头，两手插在衣袋里。他好像对自己周围发生的事情一点的一声不关心。

他的目的地是一家位于偏僻街道上的名叫“黑猫”的脏兮兮的小旅馆。他走了进去，大门在他身后砰的一声关上了。

可惜门上镶的是奶白色的毛玻璃，薇姬看不清楚里面发生的事。她默数到三十后也走进了旅馆。

这家旅馆看上去已有相当的年代了。嘎吱作响的门后是一个狭小的前厅，地上铺着一块很皱的脏地毯，摆着三把站立不稳的椅子。一张矮桌上放着破破烂烂的杂志，好像是几个月以前的。

一个满脸胡楂儿，嘴上还叼着烟的男人从边上的一个房间里闷闷不乐地走了出来。他很不耐烦地打量了一下薇姬。

“有事吗？”他问。

服务台边一段狭窄的楼梯斜斜地通到了二楼，薇姬朝那边努了努嘴。

“哦……刚刚进旅馆来的那个人……”她用强调的口气说道，“我……我在哪里见过他。他……他不就是那位……”

满脸胡楂儿的男人可没上当。

“他是谁关你屁事！”他凶巴巴地说道，“现在马上给我消失。”

薇姬发现再问下去就毫无意义了。她只会惹一肚子气，而得不到什么答案，所以她只能打道回府了。

可是由于气恼，她错过了一些东西，今后这将给她带来不少麻烦。

当尤比特和尼克发现那些“针刺感”的来源时，他们又稍微镇定了些。

“嘿，上面的家伙！别胡闹！”尼克朝楼上露出吹箭筒的窗子喊去，“你觉得很好玩吗？有种就下来！”窗子被人用力推了上去，一个女人探出头来。

惊恐小虎队的两名成员吓了一跳，朝后退去。他们原以为窗后躲着的是一个小孩。

这个女人有着大大的眼睛和怎么看都不太自然的长头发。

“她属于哪种鸟？”尼克对尤比特窃窃私语道。

惊恐小虎队的问题：

薇姬错过了什么？

尤比特也同意。这种比喻相当恰当，看到这个女人确实让人想到某种鹰之类的动物。

“你们在找什么？”她喊道。

“你为什么用吹箭筒射我们？”尤比特反问道。

“因为这里不许人靠近，禁止入内。”

“为什么？”尤比特拗上了。

“因为在这里会有生命危险！”

“您又是怎么上去的？”尼克感到奇怪。

“难道你们和自称是我邻居的这个疯子是一伙的？”女人怒吼道，没有回答男孩们的问题。

尤比特和尼克摇摇头，颇有兴趣地对望了一下。这个女人好像知道弗朗西斯先生的一些事。

“您为什么这么讨厌弗朗西斯先生？”尤比特问。

女人动作猛烈地用手捋了捋浓密的长发，在脖子上打了个结。

“那家伙疯了！彻底疯了！这就是他为什么老关着窗户的原因。”女人小声说道，“不过有时晚上关灯时我能看得出他在干什么！”

男孩们紧张地看着她：“然后呢？您看到了什么？”

这时候一辆车鸣着喇叭朝街上开过来。尼克马上就认出是美术老师的那辆黑色大众甲壳虫。

女邻居看到后又将窗子猛地往下拉了回去。她还在里面朝男孩们喊道:“我劝你们还是离开这个地方为妙!”

弗朗西斯先生扛着个大袋子从车里出来。看到栅栏边的尤比特和尼克,他愣了一愣。

“啊……您好!”尤比特飞快地打了声招呼。

“尤比特·卡茨和尼克·施瓦茨布施!”弗朗西斯先生认出了他俩,“你们是来找我的吗?”

“啊……是的!”尤比特回答说。他的脑子飞速地旋转着,在考虑该为这次拜访找什么理由。

“我能帮你们点什么吗?”

弗朗西斯先生穿着一件肘部凸出的旧大衣,下面同样是一条膝盖凸出的灰裤子,衬衫是用旧的衬衫料拼接而成的。他看上去和往常一样那么亲切。

“啊……是这样的……我们……我们想做一个设计。”

尼克说谎道，“为此我们需要您的建议。我们……想照尤比特和他父亲所住的城堡的样子做个模型。”

老师点点头：“我很乐意给你们出一些点子。进来吧。”

尼克自以为了不起地向尤比特眨眨眼。

弗朗西斯先生走到他们身边，拿出长长的一串旧钥匙，打开了花园的门；在门边他又开了四把锁才最终将门打开。

“你们先去起居室，我马上就来。”他客气地说。

男孩们迟疑地照老师指的方向走了过去。

弗朗西斯先生打开一扇加了两把锁的房间，将手上的袋子随手扔了进去。袋子好像有点沉，落在沙发上发出了沉闷的声响，一滑又掉到了地上，打了开来。

尼克喘着粗气。他留在原地，想透过门缝朝里面看一眼。有那么一瞬间，他两腿发软，脸色发青。

就在尼克还想再看仔细一点时，弗朗西斯先生关起门上了锁。

“现在来谈谈你们的城堡吧。”他平静地说。

他冷静得出奇。

好像扔进房间的是一个很平常的袋子。

尼克踌躇着走进起居室。是他弄错了，还是看到了事实？他真的很难确定……

地下实验室

“接下来呢？发生了什么事？”薇姬很想知道。她两手托着头，兴奋地盯着尼克和尤比特。

惊恐小虎队的成员们回到了他们的秘密碰头地点，这个地方位于法尔肯费尔斯城堡一座塔楼的地下深处，以前曾经是刑讯室。这里没有通电，两盏油灯放在一张凹凸不平的橡木桌上，发出了暗淡的光芒。

“什么也没有发生。”尼克说。

“他发现你们在调查他吗？”薇姬问道。

“希望没有！”

“你保证从袋子里露出来的是一只人手吗？”

尼克默默地摇摇头：“我不敢肯定。”

“起居室里的情况如何？快说吧，别老是别人问一句你才答一句。”薇姬等不及了。

“起居室的天花板和地板都是黑色的。墙是白色的。”尤比特描述道，“有三把黑色的靠背椅，地板上还堆着一些书。”

尼克努力让自己保持镇定：“除此以外还有一个巨大的旧鱼缸。里面是一些……”他因为感到恶心而发起抖来。

薇姬板起脸。“不错啊，”她咕哝着，“我也想要这个。”

尤比特把两脚搁在桌上，张开手指捋起自己蓬乱的头发。他已经摸不着头绪了。

“弗朗西斯先生完全有可能……就是这个弗兰肯斯坦博士！”

“在梅尔策夫人那里买过梨的那个人可能就被关在他

的房子里吧?”薇姬补充道。

尼克不那么认为:“可是弗朗西斯先生的反应相当正常。他很友好,还请我们喝可乐,之后还详细解释了制作城堡的过程。”

“他可以把自己伪装得很好啊。”薇姬认为。

“那么……我们接下来该怎么办?”尤比特说出了想法。

没人回答。

“我对墓地里那个长得像西部土匪的人很感兴趣。”薇姬突然说道。

尤比特打了个响指:“我们得找他谈谈,他好像也在追踪这个弗兰肯斯坦博士。如果我们把看到的情况告诉他,他肯定会信任我们的。”

弗兰肯斯坦博士在他的地下实验室里大步地走动。他走过一个巨大的水缸,缸里黏稠的液体中漂浮着一个绑着绷带的人形。旁边的墙上装着好几个按钮,还有一个老式的木柄拉杆开关。

弗兰肯斯坦博士很着急。尽管躲在这座小城很安全,但还是有人追来了。幸亏他及时发现了追踪者并把他解决掉了,但第二个又会马上跟来。

弗兰肯斯坦博士当即开始实施新的计划。令人恼火的是又出现了这三个孩子，这可是他万万没想到的。他认识这三个人，也知道他们很危险。他必须找机会摆脱他们。

他充满爱意地摸了摸巨型容器的玻璃壁，朝里面的人形微笑着。用不了多久，他就可以拉下那个开关了。他只需要一阵雷雨，闪电的能量可以唤醒他的这个杰作。

在那个时刻到来之前他还有些事要做，他得加快进度了。

惊恐小虎队的问题：
作为惊恐小虎队的一员你会怎么做？如果决定好了，就请翻到下一页。

碰头地点

尤比特、尼克和薇姬在商量下一步的对策时想到了很多。

“我们需要确凿的证据。”尤比特认为。

三人互相对望了一下，产生同样的想法：他们必须再去一次墓地，等待弗兰肯斯坦博士的出现。

“发现后我们就跟踪他。”薇姬决定，“如果真是弗朗西斯先生，我们就得告发他。”尼克深深地叹了口气。尽管在老师家里的经历让他感到震惊，可弗朗西斯先生毕竟是他最喜欢的老师。

父亲禁止他在夜间外出，认真对待这个警告才是明智之举。可就这么被钳制住，尤比特又很不甘心。

“我不会就这么被他逮住的。”尤比特安慰自己。惊恐小虎队的成员们约好晚上八点在墓园大门口见面。

尤比特离开城堡时没有碰到任何麻烦。父亲上午乘火车去邻近城市做有关吉祥物和非吉祥物的报告。照平常估计，他很晚才会回来。按这个时间，尤比特应该早就上床了。

正当他走入寒冷的黑夜中时，他听到头顶上一阵呱呱的叫声。他那温驯的宠物乌鸦可可悄悄地朝他飞过来，停在他的肩上。

“你这么长时间去哪儿了？我这几天都在找你！”尤比特对它说。

可可低声呱呱地叫着，好像在找什么借口。

“你来吗？”尤比特问。

这下可可叫得可大声了，尤比特跳上自行车时，它稳稳地站在他的肩上。

在去墓地的路上，尤比特突然猜想这次惊恐小虎队将面临什么样的情况。尤比特打了个寒战，感到背上透出一阵凉意。

“不，不可能。”他轻声告诉自己，“弗朗西斯先生不可能从墓中挖出死人来……制造怪物……还把怪物弄活！”但是装着人手的袋子又代表了什么呢？

尤比特一想到这个就不寒而栗。

“他……他一定是疯了！”他嘟哝着，“说不定还很危险。”离墓地越近，尤比特就骑得越慢。离大门还有一段距离时，他看到薇姬和尼克站在一盏路灯下，边上还有个人正在和他们说话。

尤比特犹豫着慢慢骑上前去。车子发出的声音让他们注意到了他。

惊恐小虎队的两个成员朝他看来，拼命向他挥手。

“尤比特，快！我们刚刚认识了坦波夫斯基先生。”薇姬说，听上去她很不喜欢这次遭遇，“他是墓地看守。”

那人一直背朝着尤比特，这时转过身来朝尤比特点点头。他几乎和尤比特一样高，红彤彤的脸庞长满了皱纹。深色大盖帽下露出了几根灰色的头发。墓地工作人员的制服穿在他瘦削的身上显得空荡荡的。

坦波夫斯基先生用肮脏的手指指着薇姬和尼克说：“我抓住了这两个人，他们想在这个时间溜进墓地去。幸好被我及时阻止。墓地已经关闭了。”

“我们已经解释过到这儿来的原因了。”薇姬说。

那人突然一惊。他若有所思地点点头，神情变得严肃起来。

“是的，这确实是件棘手的事。我想起来了，有些事情是不大对劲儿。我记得今天有个人很晚了还在墓地里转悠。”

尤比特感到自己全身发冷，尽管他里里外外穿了好几件毛衣。

“我们……我们想拍张照片作证。”尼克高高举起一架小照相机，“那么事情就水落石出了。”

“等到真相大白后，城里的人肯定会大吃一惊的。”薇姬宣称道。

“不行不行！小孩子不应该这个时候待在墓地里。你们的父母知道吗？”惊恐小虎队成员们神色有点尴尬。

“好啦，回家去吧！”看守严厉地说。

“我会亲自去墓地看看有没有人躲藏在那里的，这确实也有可能。但至于你们……快回家吧！”

“我们这就走！”薇姬和尼克嘟囔着，叹了叹气。只有尤比特看上去真的松了一口气。他可以免去在这墓地里的一次可怕经历了。

三个朋友跳上车沿着街道慢慢骑了回去。薇姬小心地朝身后望了几眼，她想知道那个墓地看守是否还在看着他们。

“他还在原地。”她失望地咕哝着。

“我说，我们还是别管这事了。”尤比特开口说道。

“胆小鬼！”尼克讥笑他。

这时尤比特突然刹车，差点把自己从车上摔下来。“不！”他叫道，“别干了！”

惊恐小虎队的问题：
发生了什么事？

该是不该

“难道这还不算证据吗？”尤比特问两人。

薇姬想了一下后摇摇头：“不算，这可能是碰巧而已。我们要当场把他抓住并拍下照片，那样一切就清楚了。”

“嘿，那个坦波夫斯基先生不见了。”尼克报告说。

薇姬一声不吭地停下车子，开始爬栏杆。

“等等！你这样一意孤行，我们可是会反对的呢。”尤比特想阻止她。

“我随便。”尼克回答，“我讨厌把事情搞得神秘兮兮的。今晚我们肯定能在这里把弗兰肯斯坦博士的事解决掉的。我们必须这么做。”尤比特没法子，只好跟着他俩了。

薇姬一边气喘吁吁地爬过栏杆，一边庆幸自己是个不错的运动员。她一脚跨过栏杆，像猫一样灵活地一跃，成功地跳到了石子路上。

就在这时，薇姬突然吃了一惊，她看到身边突然冒出两条腿来。她慢慢地抬起头，看到了尤比特幸灾乐祸的笑脸。

“你好，聪明的小姐，这儿有个小门，看来是给墓地的园丁用的。”尤比特懒洋洋地解释道，“你原本可以省省力气的。”

薇姬骂骂咧咧地直起身，拍拍衣服。

三人默默地向夜幕中的墓地望去。墓园中闪着零星的烛火，墓石间飘荡着潮湿的雾气。惨淡的月光照耀着墓地，看起来更加阴森恐怖。

尤比特、尼克和薇姬谁也没动。三人只是站在那里盯着那些坟墓和道路。看得越久，越让他们觉得这个地方可怕，好像看到了动静，或许是什么幽灵。

三人几乎同时发起抖来。尤比特朝后退了几步，他的背贴上了冰冷的铁栏杆。

薇姬伸出双臂："我确实感到害怕。可是……可是我们该逃走吗？"

尼克和尤比特摇摇头。

"来吧！我们走在一块儿，一拍到照片我们就跑。"他们勉强迈开了步子，不过两腿好像不太听使唤。

如果被他发现了怎么办？尼克脑中闪过疑问。如果他在制造怪物时还需要几个部件该怎么办？尤比特突然想道。

熟悉的黄色灯光出现在与他们隔了几座坟墓的地方。惊恐小虎队的三人闪到一边，藏到了一块刻着许多名字的方尖碑后。

他们又听到了煤油灯发出的嘎吱声，还有慢慢移动的脚步声。有人正在墓间摸索前行。

"是他！"尼克轻声说。他想举高照相机，可是他抖

得太厉害了，根本就拿不稳。

灯光在一座坟墓边停了下来。听声音，成员们知道他把灯放了下来。薇姬从弟弟手中拿过照相机，弯下腰。

“该死，”她轻轻骂道，“我……我看不到他。”

“走近点。”尤比特告诉表妹。

“你自己干吧！”薇姬说着把照相机塞到尤比特的手中。

尤比特只想离开这里，所以他真的走了出去，他猫着腰靠近弗兰肯斯坦博士。

真是弗兰肯斯坦博士吗?

尤比特探出头，隔着几丛长在墓间的灌木看去。接下来，薇姬和尼克只听到一声惊叫，然后是泥土滚落的沙沙声，再完了是东西跌落时发出的沉闷声音。

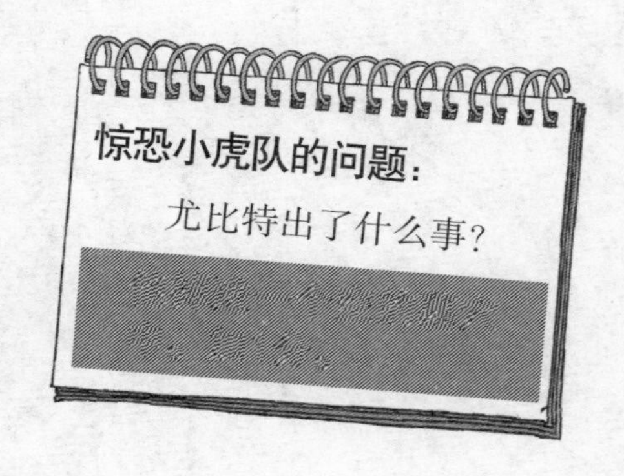

真是他

煤油灯被嗖的一声拎到了空中。

薇姬和尼克感到自己从头到脚在瞬间被冻住了。他们的腿动不了了。

尤比特的背在隐隐作痛。他只觉得脚下一空，就掉了下去。他现在在一个潮湿的洞中，从洞口望上去只看到深蓝色的夜空。

我掉进了一个新挖好的墓中。尤比特脑中闪过这个念头。想到这个，他几乎停止了呼吸。

煤油灯悬在了墓坑上方，灯光照花了尤比特的眼睛。等睁开眼时，他止不住地拼命喘气。

弗兰肯斯坦博士弯下身，睁大眼睛盯着他。闪着火焰的灯光照在他的脸上，现在不需要再怀疑了。

“弗……弗朗西斯先生！”尤比特喘着大气说。

老师拿起沉重的铁锹威胁似的在他头上挥着。尤比特伸手护住了脸部，不经意地按下了拿在手中的照相机快门。

一阵闪光。

弗朗西斯先生的眼睛被光刺了一下，发出了一声尖叫。他扔下铁锹，裹起长披风，转身逃走了，披风像蝙蝠翅膀一样拖在身后。

尤比特气喘吁吁地站起身，外套上沾满了泥土。幸亏这个坑还不是很深，他可以凭自己的力量爬出去。

薇姬和尼克立刻跑过来扶住了他的手臂，如同对待一个跌倒在地的老人。尤比特甩开他们的手骂道："算了吧，胆小鬼！你们该早点过来的。"

"他……真的是……弗朗西斯先生？"尼克用发抖的声音问道。

尤比特点点头。"你拍下照片了吗？"薇姬问他。

"不知道。闪光灯亮了，可我说不准照下了没！"

尼克指指在迅速离开的灯光。"他跑了，要追吗？"

"是的，追吧！"薇姬决定，"我们一定得拿到照片。"

三人追了上去，很快到了栅栏那边。弗朗西斯先生从男孩们发现的小门溜走了，惊恐小虎队的成员们跳上车。尽管换了装的老师已经不见了，不过他们猜到他会走哪条路。

"可是……可是他开车会比我们快得多！"薇姬叹口气说。

"我可不觉得他会开车。"尤比特一边说，一边用力踩车，"你们听到有汽车发动的声音吗？"

这时一辆汽车从身后向他们冲了过来。三人连忙躲闪，一辆黑色的大众甲壳虫与他们擦身而过。

“就是他！我们要在他到达之前赶到他家！”尤比特喊道，“我认识一条近道，我们走那条路！”

尤比特像只兔子般在狭窄的街道上东跑西跳，尼克和薇姬费力地跟在他后面。

突然，一个建筑工地挡住了他们的路。尤比特刹住车，失望地向空中挥了挥手臂。他掉转车头走了另一条路，绕了好大一圈。

当他们赶到阿玛德乌斯街时，黑色大众甲壳虫已经停在街边了。他们还看到弗朗西斯先生急匆匆地向门边赶去。

尤比特举起相机找镜头。这时，老师转过身，向他们扔过来一个发光的球，球在空中爆炸后发出了强烈的光芒。

有好一会儿他们都看不清东西。等眼睛好受一点时，他们朝有着黑色百叶窗的房子望去。

弗朗西斯先生明显已经进了屋子。他已经不在外面了。

“给我！”薇姬从尤比特手中夺过相机，爬上栏杆。

隔壁的一扇窗开了，长着鹰眼的女人探出身子阴沉地盯着尤比特和尼克。

“又是你们！”她粗声粗气地说。

男孩们没有理她，他们紧张地看着薇姬爬过栏杆。

“今天我的邻居先生家有幽灵做客！”女人把手放到嘴前说。

尤比特和尼克惊奇地看着她。

“他有间小屋在后面的花园里，里面老是闹哄哄的！”

“什么？您又是怎么知道的？”尤比特问道。

女人举起一个拖把放在窗台上。“傍晚我骑着我的弗雷迪转了一圈，就在那个时候听到的。”

两人对望了一眼就明白接下来该怎么做了。他们也越过栏杆，猫腰摸向后花园。

薇姬激动地朝他们招招手，让他们过去。她站在一扇关闭的百叶窗边，透过缝隙向里面张望。她喘着粗气把地方让给了男孩们。尤比特和尼克弯下身，呼吸变得急促起来。

小屋里的人

惊恐小虎队的三人全身都在发抖。

“他……真的是他……那么……袋子里真的是一只人手，他在制造……人造人！”尼克说道。

花园后面传来一阵沉闷的敲击声。有一个微弱的声音恳求道：“放我出去……请放我出去！”

“那不是幽灵！”尤比特断定。

“是追踪弗兰肯斯坦博士后失踪的那个人！肯定是他！”薇姬猜想。尼克和尤比特穿过带刺的灌木丛，脚下不断踩到什么烂烂的东西。

“希望只是从树上掉下来的果子！”尼克说。

栅栏边有一间已经倾斜的小木屋，上面相当部分的油漆已经剥落了。屋子没有窗户，只有一扇狭长的门，门上插着插销。

尤比特敲敲门朝里面问道：“谁在里面？”

“出去……让我出去！求求你了！”一个微弱的声音嘶哑地说。

男孩们费力地扳动插销，终于将门打开了。

黑暗中蹒跚走出一个身材结实的人，他只比尼克高出半个头，衣服和脸上满是污泥，眼睛周围还有深深的黑眼圈。他乞求似的向他的解救者们伸出被绑在一起的双手。尼克掏出一把小刀割开了绳子。

那人连句谢谢的话也没说就转身朝栅栏那边蹒跚而去。

“嘿，等等！”尼克在他身后喊道。

可那个人已经爬过栅栏消失在邻家花园中了。

“要追上去吗？”尼克问。

尤比特摇摇头。

远处响起了警笛声。男孩们和薇姬在弗朗西斯先生家的栅栏门前碰上了头。他们已经没力气爬出去到街上了，所以就在花园里等待警察的来临。

“那个女邻居报了警。”薇姬气喘吁吁地报告。

“这种家伙该把他关起来！”女人在窗子里喊道。

三辆警车马上就赶来了，车子刹住时发出了刺耳的声音。

“这边！弗兰肯斯坦博士就住在这里！”惊恐小虎队的成员们喊着，挥手示意。

他们身后传来开锁的声音，门是从里面锁上的。门开了，石子路上投下了长长的光影。

“这里出什么事了？”弗朗西斯先生问道。惊恐小虎队的三人害怕地靠在栅栏上。

老师认出了他们，惊奇地扬了扬眉毛。“是你们？这个时间你们在这里干什么？”

“请让我们马上进去！”一个警察要求道，“有人怀疑你破坏墓地。”

“什么？”

三个孩子不得不承认弗朗西斯先生惊奇的样子装得

很像。

“就在房子里……右边第一个房间……他在那里制造怪物！”薇姬报告说。

老师板起脸，觉得莫名其妙。“你在说什么，薇姬·施瓦茨布施？”

弗朗西斯先生过来开门时，薇姬、尤比特和尼克站得离他远远的，跟在警察身后进了弗兰肯斯坦博士的家。

老师没说多少客套话就打开了薇姬看到过的房间门。警察走了进去，惊恐小虎队成员们好奇地从角落里向里张望。他们想到了最可怕的事情。

屋子里沉默了好一会儿。这是种危险的，具有压迫性的沉默。警察慢慢转过身，他先看看悠闲地靠在门边的弗朗西斯先生，然后又看看惊恐小虎队的孩子们。警察先生扬起了眉毛。

尤比特、尼克和薇姬在努力保持镇静，他们无法相信眼前的一切。

糟糕的事

半小时后，一辆警车把三个孩子带回了家。尼克和薇姬在家门前下了车，一个警察陪他们到了门前。施瓦茨布施夫人打开门听警察说过孩子们的事情后确实吃惊不小。

尤比特在车座上尽量往后靠，希望姑妈没看到他。只要尼克和薇姬的嘴巴够严，父亲就不会发现他晚上出去的事情。

但是尤比特的希望就像肥皂泡一样破灭了。警车停在法尔肯费尔斯城堡前时，门开了，卡茨先生走了出来。

父亲脸上的表情说明了一切。尤比特知道，这下他的麻烦大了。

一个很精神的警察走到教授面前敬了个礼。

“他是您的孩子吗？”

埃拉斯穆斯·卡茨教授点点头。

“他和他的表弟以及表妹告诉我们说，他们在墓地里看到了美术老师弗朗西斯先生，说他就是那个弗兰肯斯坦博士。”

尤比特的父亲向儿子投去一道闪电似的目光。

“他们报警让我们去了那个老师家，实际上这个老师只是在工作间里拼接人形而已。”

POLI

卡茨教授惊讶地皱起眉头。

“那是些橱窗人偶的肢体。”警察补充说，“那个老师是艺术家，正在制作这些艺术品，明年年初在一家大的博物馆就会有一场展出。他怕有人搞破坏才把门锁得那么严实的。”

尤比特恨不得有个地洞钻进去。

太失败了！他一路上听够了警察们对惊恐小虎队的冷嘲热讽。

警车开走以后，尤比特像只遭痛打以后的小狗一样走进了城堡。父亲的反应是尤比特所能想象中的最糟糕的：他沉默了。他既没有骂他，也没有发怒，更没有大叫大嚷。他只是一句话也不说。

卡茨教授一言不发地走进工作室，尤比特跟在他后面。

尤比特站在房门口问：“您……很生气吗？”卡茨教授摇摇头。

“不是生气，而是失望。我们说好禁止夜出的，本来我以为你已经长大了，也变聪明了。晚安。”他在儿子面前关上了门。

尤比特无精打采地走进房间坐到床上。

如果这件事被学校里的人知道了，他们肯定会笑死的，而且弗朗西斯先生也一定很生气。

但是他们确实在墓地里看到了他，小屋里的人也不是他们瞎编的。

电话响了，尤比特急忙抓起听筒。是薇姬。

“一个星期禁闭。”她轻声说。

“我还不知道自己得到什么样的惩罚呢。”尤比特说。

“给你打电话是因为尼克想到了一些事，是有关那辆黑色的大众甲壳虫的！那车有点儿不对劲，根本不是弗朗西斯先生的那辆！”

“什么？”后面传来别的声音。

“我得挂了。”薇姬很快说了一声，挂断了电话。

尤比特思考着表妹的话到底是什么意思。那辆大众车怎么就不是弗朗西斯先生的呢？

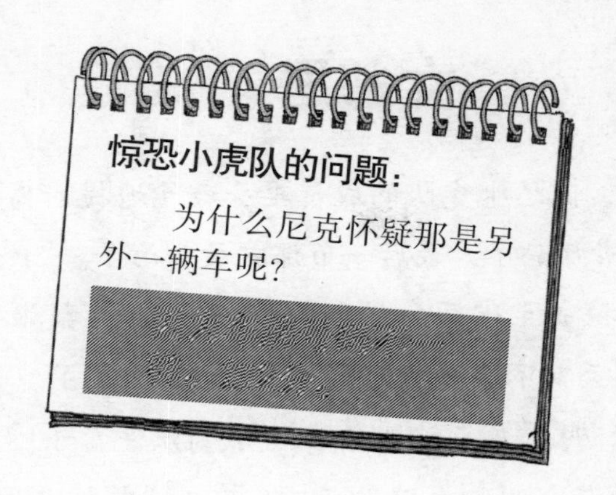

弗兰肯斯坦博士坐在实验室里偷笑。身后的透明黏液中正在冒出一个个小气泡，里面漂浮着一具深色的捆扎着的人形。

计划成功了，他摆脱了追踪者。从现在开始他可以安安静静把他的实验做完了。

他高声大笑着，兴奋地抚摸着那个木柄的大拉杆开关。

他现在只需要一阵雷雨，一阵带着闪电的大雷雨。只不过在十月底这种时节雷雨非常少有。

可以导入强电流！他突然想道，这完全管用。

从现在开始他不用惧怕什么干扰了。他可以放心大胆地完成他的计划了。

“这可是我的杰作！”他尖声怪叫着。

实验室的厚墙吞没了任何一点声音，什么也传不出去。

女邻居

第二天，惊恐小虎队的成员垂头丧气地提前离开了学校。一个老师病了，最后一节课就被取消了。“我们可以把关禁闭换成至少两个星期的家务劳动。”薇姬报告说，“不然明天就不能去参加盛大的万圣节庆祝了。”

“家务劳动！”尼克皱皱鼻子，“我讨厌洗盘子！”

“万圣节庆祝吗？是在明天吗？”尤比特惊奇地问。

“没错。明天是十月三十一号，万圣节，幽灵的节日之夜，一直要持续到十一月一号为止。”薇姬解释说。

尤比特点点头。他们早就盼着这一夜的来临了。所有的孩子都会尽可能把自己打扮得恐怖点，然后一家一家地去串门。如果门开了，他们就唱起歌谣：

“快快快！快给糖，
不然小心恶作剧！”

小家伙们带去的口袋必须被大人们装满糖果，不然他们就会在家门口停放的汽车上缠上手纸，或是把摔炮放到门垫下。

“我上学前把在墓地拍的胶卷拿去洗了，尤比特。”尼克说，“希望你在墓坑里拍的照片有点用。”

尤比特叹了口气。这虽然能算个证据，可是还会有人相信他们吗？肯定没有！

“可是弗朗西斯先生确实在墓地里！”尤比特懊恼地说，“我看得清清楚楚，而且他还把一个人关在他的工具棚里。”

尼克跑开了一会儿，从洗印室拿回了照片。从他脸上的神情就可以一眼看出，惊恐小虎队没能拿到证据。

“照片上一片漆黑！”尼克泄气地说。尤比特只拍下了夜空。

薇姬连打了两个响指:“伙伴们,听着:别再闷闷不乐的,我们要继续追踪这个奇怪的弗兰肯斯坦博士。如果我说这事很可疑,你们肯定也赞同吧。”

男孩们点点头,薇姬继续说了下去:“我认为有两个人可以继续帮助我们:墓地里那个蒙着三角巾的人和弗朗西斯先生的邻居。”

找那个邻居肯定要方便得多,所以他们决定马上去拜访她。

他们按了门铃后就听到阿玛德乌斯街25号的走廊里响起了咚咚的脚步声。观望孔里有个人在朝外看,最后门被打开了。

“你们想干什么?你们惹的麻烦还不够多吗?”女人朝他们喊道。

“我们是这样想的:您不是觉得自己的邻居很古怪吗?”薇姬问道,“难道我们听错了吗?”

“不,你们没听错。”女人尴尬地说,“他……他是个怪人,总是在夜间工作。我不觉得他很可怕,此外没别的。”

女人身后走来一个穿灰色西服的人。他做了一个生气的表情,不耐烦地问:“克劳茨女士,现在您打算怎样?您的两所房子还卖吗?”

女人睁大双眼,看上去比平时更大。让三个小孩子知道了她的计划让她感觉很不舒服。

惊恐小虎队的问题：
尤比特看到了什么？

“只要不把23号出租，我可以付全数金额。可惜您和他订了这不能中止的愚蠢契约，这样他就能在这房子里永远待下去了。”

克劳茨女士示意让男人安静，向三个孩子那里转过头去。

“您有客人？我不知道。不过我得走了，在这儿只会浪费我的时间。如果您想改变主意或找到了解决办法就请给我打电话。我们对这块地方很感兴趣，想在这里建造住宅。”

男人把名片塞到她的手里，从衣帽钩上取下帽子，离开了房子。他打量着惊恐小虎队的三个人，好像他们是从外星球来的一样。

“走开，我没有时间！”克劳茨女士说着把尤比特、尼克和薇姬往门前的台阶下推，“别让我再看见你们。这儿不欢迎你们。”

三人站在了街道上，尤比特吹了长长的一声口哨。

“事情很可疑，”他说，“你们也看到了吗？”

面具

薇姬打定主意后再次摁下了门铃。门没有马上打开，她就一直摁着不放，门道里铃声不断。

二楼的一扇窗户开了，一盆冷水泼了出来。薇姬用力朝边上一跳才免于变成落汤鸡。

“我说过让你们离开的！”克劳茨女士在楼上大怒。

“您想把弗朗西斯先生赶出房子吧?!”尤比特朝她喊道，“所以您就让人照他的脸做了个橡皮面具偷跑到墓地。您打发那个人到梅尔策夫人那里，这样就把弗兰肯斯坦博士的传闻散播开去，然后您又把他锁在小屋里。你们俩其实是一伙的。”

克劳茨女士惊得愣住了。

“胡说八道！”她一会儿骂道。

“这是事实！您想解决掉弗朗西斯先生。他是无辜的！”尼克喊道，他已经完全相信了。

“别到处叫嚷！”克劳茨女士几乎是在恳求，“邻居们会怎么想?”

“他们会知道您的所作所为的！”薇姬回了过去。

“你们……你们疯了！”克劳茨女士说。

窗子被狠狠地关上了，上面的玻璃叮当直响。

“从这个女人身上才套到这么一点消息真是奇怪啊。”

尤比特嘟囔着。

门被一把拉开了，克劳茨女士冲了出来。由于仓促，她的长发从一边甩到了另一边，搭在了浓妆的眼睫毛上。

“那……那不是事实！”她申明道。

薇姬眯起了眼睛。无论怎样，克劳茨女士看上去不像在撒谎的样子。

她从衣袋里掏出橡皮面具扔向三个小朋友。

“这是我的狗发现的，”她说，“它一定是掉在花园里了。”

这张面具看上去挺恶心的。这种材料就和人的皮肤一样柔软而温暖。由于被狗叼过而变得又湿又滑。边缘部分可以清楚地看到齿状痕迹。

“如果你们敢到处去给我抹黑就小心点！”克劳茨女士威胁道。

她和出来时一样，飞快地消失了，门被重重地摔上了。这次，整幢房子的窗玻璃都同时震了起来。

尼克将面具高举过头。

薇姬发起抖来：“看上去像真的人头！”

“那么我们被他骗过也就不奇怪了。”尼克说。

尤比特一拍脑门：“我们昨天就应该知道这和弗朗西斯先生无关了。”

尼克和薇姬充满疑问地看着他。“昨天怎么了？”

“这不是很明显吗？他在门边的时候我们就应该想到了。”尤比特说。其他两个人还是不明白他在说什么。

谁干的

“你在说什么？我们有什么疏忽吗？”薇姬问两人。

尤比特脑子里现在已经很清楚了：“弗朗西斯先生是无辜的。有人想嫁祸于他，装扮成弗兰肯斯坦博士出现。不过，从百叶窗里看到这样的‘艺术品’，也难免不让人产生误解。”

“那么会是谁干的呢？”尼克问道。

薇姬伸出大拇指指指克劳茨女士的房子。“比如这个爱吵架的女人。”

尤比特若有所思地挠挠头：“眼前只剩墓地里蒙三角巾的人了。他跟踪戴面具的那个人一定有什么原因。”

“只要我们知道那人的住址，就能去问了！”薇姬说。

可惜没时间了，三人得回家了，这样才能在吃午饭时准时赶到。他们可不想再遇上令人难受的事。

尤比特接近城堡时有种不好的预感。今天早上父亲还是没跟自己说话，他会给自己什么样的惩罚呢？

此外，昨天一阵忙乱，可可不知哪儿去了。尤比特的乌鸦一定是什么时候离开了他的肩膀，而他也一直没有注意，直到第二天早上可可还没有飞回城堡。这不太正常，尤比特担心他的宠物发生了什么意外。

“最近我老把事情搞得一团糟。”他叹了口气。

卡茨教授已经在等着他的儿子了。

“我得和你谈谈。”他说着，做了个邀请的手势。

尤比特默默地跟他进了工作室。他担心受到最严厉的惩罚。

“听着，我不会关你禁闭，也不会让你做家务……”父亲开口说。

尤比特正想松口气。

“不过你这次一定得受罚，你要帮我做整理工作！”他指指堆成小山似的资料、杂志和未拆封的信件。

尤比特叫了起来：“但是……但是干完这个要好几个星期呢！还有……我今天本来想……”

父亲摆摆手：“你早该想到有这一天的。”

尤比特叹口气靠回座位：他知道再怎么辩解也没用。

除了打电话告诉薇姬和尼克自己下午不能去了之外没有别的办法。

“好吧，那么……那么我们明天再去黑猫旅馆。”薇姬说，“今天下午我们还得陪妈妈去买东西。”

尤比特一边帮教授整理东西，一边想着弗兰肯斯坦博士的事。他不相信这是克劳茨女士干的，肯定不是她戴着面具在到处跑。她会不会还有同伙？

等尤比特和父亲感到饥饿时已是晚上九点了。尤比特走进厨房，像往常一样准备晚餐。他很喜欢做菜，而且做得不错。

听到窗子上的敲击声他吓了一跳。是谁呢？这里离地面差不多有七米高。

外面一片漆黑。厨房里的灯光照亮了窗台，一个浑身长着羽毛的小家伙在上面跑来跑去。

“可可！”尤比特松了一口气，他的乌鸦回来了。他打开窗户，可可飞了进来，停在桌上。

“你这么长时间去哪儿了？”尤比特很想知道，不过他并不期待回答。

可可张开嘴，一件硬物掉在了桌上。他的乌鸦得意扬扬地叫唤着，在桌上踱着步，好像在炫耀自己带来的东西。

这是一块闪闪发光的金属牌，上面还粘着一部分标签。“这是什么？”尤比特猜想着。

LEIHWAGEN TANZER
K-LI-211

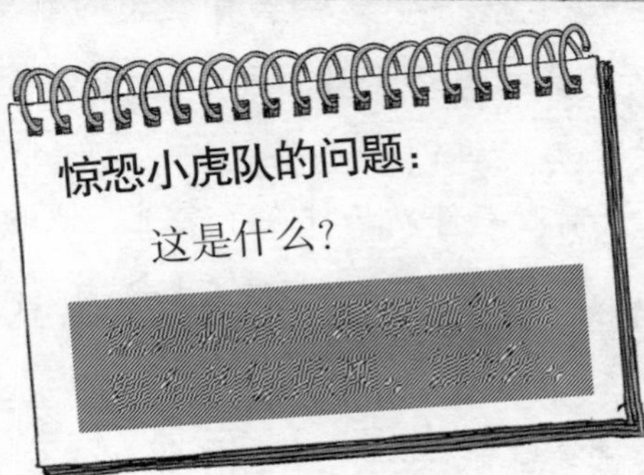
惊恐小虎队的问题：
这是什么？

怪手之夜

尤比特奇怪地望着可可:“你从哪儿弄来的?”

他的乌鸦为什么把它叼来的原因很清楚:它会发亮,而一切闪闪发亮的东西对可可来说都像磁石一样具有吸引力。

“你是在墓地发现的吗?”尤比特问。

这时卡茨教授走进了厨房,尤比特马上把那块闪光的金属牌放进了口袋。晚餐是一些奶酪吐司和两人都很喜欢的芥末——父子俩又在工作室整理了一会儿。

“睡觉时间到了。”教授定好是在十点半。

尤比特打了个哈欠点点头。那座小山已经被移去一半可真是太好了。

“谢谢。”父亲说,“整理东西你可比我在行。”他第一次露出了笑脸,这让尤比特感到一阵轻松。

“呃……爸爸……明天城里有盛大的万圣节庆祝会,我可以去吗?第二天再帮你收拾,反正学校放假。”

教授点点头:“可以!”

“谢谢,你真是好人!”

尤比特松了口气,几分钟后上了床。这个晚上他睡得又深又沉。

他确实需要睡眠……

放学后，尤比特在电话亭打了个电话。

他打给租车行，描述了车子的外貌，询问有什么人租过这样一辆车子。

“啊……明白了……谢谢！”薇姬和尼克听他说道。

“怎么样？”他们紧张地注视着他。

“是我们在墓地见过的那辆车。有人想用这个办法让别人怀疑弗朗西斯先生。”尤比特说。

“跟我谈话的女士说她不知道租车的人是谁，不过她知道地址：古斯塔夫·冯·格吕恩林大街17号。租车的人就住那儿。他没亲自去车行，只让人把车停在他家门前。”

薇姬思考着，推了推鼻梁上的眼镜。

“这家车行愿意帮忙可真是太好了，”她说，“但是我们先从哪里着手呢？”

“我们先去黑猫旅馆，然后去古斯塔夫·冯·格吕恩林大街。”尤比特决定说。

可是等他们到了那家旅馆后，等待他们的则是失望。门上挂着一块牌子“停业”。

“现在去古斯塔夫·冯·格吕恩林大街还不到时候。”尼克叹了口气。

“那么我们晚上再去吧，”薇姬建议，“我们打扮得可

惊恐小虎队的问题：

三人疏忽了一些事情。是什么？

怕一点。今天晚上到处都有人摁门铃，这样反而不会引人注目。”

男孩们同意了。

弗兰肯斯坦博士透过窗子朝街上望了一眼。夜幕已渐渐降临这座城市，气温也变低了。

今晚是万圣节——幽灵之夜。而他——弗兰肯斯坦博士——也将为此增光添色。他要放出比任何幽灵都可怕的恐怖之灵。

去实验室的路上要经过一扇门。他打开门看了看被绑着的小个子，那人的嘴上还封上了宽宽的胶带。

“老实点。”他警告那个人，“你真不应该在多嘴的梅尔策夫人那里乱说话，说你在追踪弗兰肯斯坦博士；跟我说你是煤气管道修理工也真是太笨了。我是用电取暖的。”

他又发出了尖声怪笑：“要把大家的怀疑转移到另一个人身上可真不太容易，幸亏还有橡皮面具。”

是弗兰肯斯坦博士亲手将那个人关进了弗朗西斯先生的工具棚，借此想把追踪者的注意力吸引到那个美术老师身上。到底能否成功他已经不在乎了，因为今晚他就要实施多年来的计划，谁也不能阻止他。

楼梯上有一根粗大的电缆通往地下室，它传输着唤醒怪物所需的能量。

劫持

晚上七点半，天寒地冻。一个骷髅，一个脸像死尸般苍白的吸血鬼和一个闪着绿光的沼泽怪出现在一家关闭的冷饮店前。

“好酷哦！”尼克看到尤比特的骷髅装时发出了赞叹。

“光酷可不行啊，”这个惊恐小虎队的成员说，“我可是冷得够戗。”

“我就好多了！”尼克大笑着掀起他的外罩。他比以前都要胖都要圆，里里外外至少穿了三件毛衣，还有好几条紧身裤。

“我们现在就去格吕恩林大街，”薇姬建议说，“我一定要知道住在那儿的是什么人。”

尼克表示同意，他们得为这次遭受的失败好好谢谢这个人。

三只巨型蝙蝠叫嚷着冲到了一处墙角。惊恐小虎队三个人发出的叫声着实恐怖，他们笑得弯下了腰。

“嘿，我们不收集点糖果吗？”尼克问。

“好主意！”薇姬破例称赞了他。他们敲敲一户人家的门，等着有人来给他们开门。

一个年轻女人怀抱着婴儿走了出来，看到他们的打扮发出了一阵惊叹声。她把他们让进屋，一大盒巧克力圈已经在等着他们了。

尤比特正想跟着两人进去，这时，一辆停在街对面的汽车映入他的眼帘。车灯打开了，他看见车里的男子蒙着一块黑布，只露出两只眼睛。

他吃了一惊，想叫住另外两个人，可这时门已经关上了。

那名男子向尤比特招招手让他过去。

他要干什么？

车窗摇了下来，男子朝他喊道："快，这事关生死。"

"什么……为什么？"尤比特还是站在原地没动。

"因为那个疯子今天就要实施他的计划了。我敢肯定！"

尤比特这才走向汽车。男子弯身打开驾驶座另一边的车门。"快，我不会伤害你的，不过我打赌你知道一些有用的情况。"

"不，我不进陌生人的车子。"尤比特坚决地说。他弯腰向车内望去，可惜他已经没办法这么做了，男子抓住他的手臂粗暴地把他拉到车座上。车门在尤比特身后关上了，男子踩下了油门。

"快让我出去！"尤比特愤怒地说。

"不行，你先得告诉我一切！"那人发出沙哑的声音。黑布从他的脸上滑了下来，尤比特惊叫了一声。

尼克和薇姬离开了那户人家，到处找尤比特。

“真像他的作风。这家伙老是嘴上不说什么，现在肯定已经去格吕恩林大街了。”薇姬说，她的嘴里满是巧克力，“来吧，我们也去吧！”

三角巾男子的车里，尤比特还在盯着男子的脸。这人没有鼻子，因此他才在脸上蒙了布。

“别那样看着我！”男子说着拉起了布，“这是弗兰兹·卡尔·梯曼在实验室偷走发明时发生的意外。他疯了，可惜我和我的同事罗兰德发现得太晚了。我们几乎在弗兰兹·卡尔放的一把火中丧生。”

尤比特摇摇头表示怀疑：“我……我听不懂。”

“我名叫哈罗。哈罗·汉宁斯。或者确切地说是哈

罗·汉宁斯博士。我是化学家，专门从事人造材料的开发工作。”

尤比特认真地听着。他不再害怕了，这位哈罗·汉宁斯看上去不像是个危险人物。尤比特想听他说出一切。

“我看到你的朋友跟踪到了旅馆，可惜你们后来又不见了。不过昨天那个多嘴的蔬菜店老板娘跟我详细说了那个老师家发生的事情，那时我才知道你们也在追踪弗兰兹·卡尔，而他正在全力摆脱我。今天中午在城里时，我偶然看到了你们。”

“为什么您和您的同事把那个弗兰兹·卡尔称为‘弗兰肯斯坦博士’呢？”尤比特问道。

蒙面人说：“这点我可以告诉你。”

尤比特听后脸变得跟死人一样苍白。

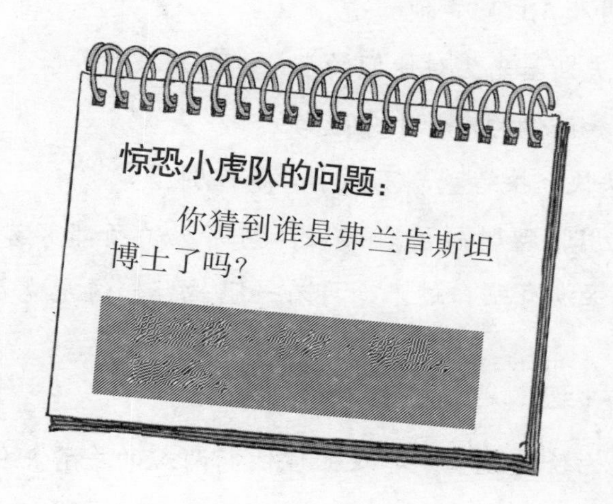

它动了

薇姬和尼克到了古斯塔夫·冯·格吕恩林大街17号。这是一座方窗平顶的房子，很不起眼。

门上没有门牌，不过安了一个门铃。

“他一出来我们就念那首歌谣！”薇姬提议。

尼克表示同意，伸手按下了门铃的按钮。

过了好一会儿，他们才听到门后有了脚步声。两人不由得紧张起来，不停地朝对方看看。开门的会是谁呢?

“嘿，尤比特没在这儿！”尼克断定。

薇姬惊奇地转身朝街上望了望。“真难得。”她说。门开了，两名惊恐小虎队成员都吃了一惊。“坦波夫斯基先生！”两人异口同声地喊道。

坦波夫斯基先生对他们的来访也感到很意外。

尼克和薇姬的声音十分微弱：

“快快快！快给糖，不然小心恶作剧。”

尼克用胳膊肘碰了碰薇姬，朝那人的颈部努努嘴。一开始薇姬没有明白过来，再看一眼她就知道尼克在指什么了。

“快跑！”

可是已经太晚了。那人抓住他们两人的手臂把他们

拉进屋子。他们被硬拖进一扇开着的金属门那里，一段楼梯斜斜地通到地下室。

“下去！”他叫喊着把他们往前推。

他按了一下墙上的按钮，楼梯尽头的铁栅栏打开了。这人推推搡搡地强迫薇姬和尼克进了地下室，又按了一下按钮关上了栅栏。

现在薇姬和尼克就和他关在一起了。

男子抓住橡皮面具的边缘把它从头上扯了下来。下面露出一张淌着汗的红色脸庞，这张脸奇怪地扭曲着。

薇姬让弟弟注意那个巨大的玻璃缸，里面漂浮着一具捆绑着的黑色人形。液体很混浊，看上去令人感到恶心，闻上去有海水变质的味道。

那根粗大的电缆被连接在了木柄开关上，所谓的坦波夫斯基先生迈着庄严的步子走上前去。

“我叫弗兰兹·卡尔·梯曼，我的事迹将载入史册。你们两个将成为我发明的见证人，将看到它把这个城市变成废墟。假如你们还能从这里逃出去，就把这一切告诉人们吧！”

梯曼爆发出一阵尖笑声。

“让我们出去，求您了！”薇姬恳求道。

梯曼好像没有听到。

“是时候了！是唤醒我的怪兽的时候了。”他尖叫着拉下了操纵杆。

飞溅的火星像瀑布一样落到了地上。

那个玻璃缸则像电灯泡一样发射出光芒来。混浊的液体起初只是轻微地沸腾，接下来就开始猛烈地沸腾起来。

尼克和姐姐紧紧靠在了栅栏边，梯曼跑过去把他们推到一边。

他又按了许多按钮中的一个，栅栏打开了。

他飞快地钻过缝隙按下另一个按钮，把门关上了。

“别走！”薇姬喊道。

可是梯曼只是尖声大笑着，两步并一步，急急地向楼上跑去。

火光消失了，那个大缸也不再发亮了。

“它……它动了！”尼克喘着气朝后移动脚步，他要尽可能远离那个巨大的玻璃容器。

结束

薇姬的嘴唇不停地发抖，她紧张害怕到了极点。

玻璃缸里的一只胳膊动了一动，抓向水缸边缘。它的动作僵硬得像一个机器人。

“是……是机器人！”尼克喘着气说。

被捆绑着的人形现在把第二只手也放到了水缸边缘。它呼的一声站了起来，胶状的液体溅出来，在地上积起了一个个泥泞的水洼。

薇姬和尼克害怕得连呼吸也要停止了。

这家伙把腿在剩余的溶液中晃来晃去，直到它积聚足够的力量跳出玻璃缸。

当它的脚踩到地上时发出了很不舒服的吧嗒声。

惊恐小虎队两名成员还是愣在原地。

这家伙像只浑身湿透的狗一样甩甩自己，黑色的头上闪着两只蓝绿色的眼睛。

接下来发生的才是最可怕的。怪物张开嘴，黑色的绷带被哧的一声撕裂了。

它的嘴至少比头要大三倍，嘴里满是如同棒针一样长短不一的稀松的牙齿。

它发出一声尖厉的吼叫，整个实验室都颤抖起来。

它朝空中挥出手臂，鼓足一口气将余下的绷带也扯断了。带子四散落下。

尼克和薇姬愣愣地盯着水池边的怪物。它好像是用透明的材料做成的，让人想起草莓酱。可是它会动，就像活的一样。

这家伙踩着啪嗒作响的步子摇摇晃晃地走起路来。它一拳打在玻璃缸上，这只缸马上就变成了碎片。第二拳它打在开关座上，那只拉杆开关就安在上面。一阵闪光之后，电路烧坏了。

怪物的头在不停地改变形状，大眼睛朝前突着，嘴里伸出一条贪婪的舌头，好像在寻找食物。

“薇姬！尼克！”两人听到尤比特的声音出现在身后。

“放我们出去！”薇姬从齿间轻轻吐出几个字。她不敢大声说话，怕怪物发现他们。

“怎么放你们出来呢？”尤比特晃了晃栏杆。他的身后出现了汉宁斯先生，他马上上来帮忙，可是门开不了。

“有个开关，就在那边的墙上！”尼克告诉尤比特。

“那边有好几个！”尤比特答道。他把手伸过栏杆就能够着开关。可是他该按哪一个呢？

怪物又开始大吼，这次薇姬和尼克再也控制不住，竭力大叫起来。

他们立刻就被摇摇晃晃的怪物发现了。它的两只眼睛从头上伸了出来，停在离两人只有几厘米远的地方，好奇地打量着他们。

一只分了岔儿的舌头从它嘴里伸了出来，试探性地舔了舔尼克的腿。尼克吓得把腿缩到一边。

怪物又一次张开大嘴，一直张到能吞下两个人。它迈着啪嗒啪嗒的步子朝两人摇摇晃晃地走过来。

栅栏门吧嗒一声缩到了一边。

“出来！”尤比特喊道。看到薇姬和尼克一动不动，他冲上去抓住了他们的胳膊，把他们拉到身后。

怪物愤怒地大吼着跟了上来。薇姬甚至已经能感觉到黏糊糊的手摸在了她的脖子上。

汉宁斯先生手上多了一样像灭火器似的东西。

“您做点什么吧！”尤比特朝他喊道。

汉宁斯先生没有反应。

“帮帮忙！”尼克恳求。

可是汉宁斯先生还是什么反应都没有。

怪物抓住了薇姬的外衣。她机灵地甩下衣服逃了出来，怪物手中只剩下一件空的外套。

惊恐小虎队的三个成员到了楼梯下，汉宁斯先生就定定地站在那里。他们擦过他身边，怪物紧紧地跟了上来。

尤比特脚下一滑，带着他的朋友摔在了地上。

完了！这是他的第一个想法。

身后传来一阵猛烈的哧哧声，尤比特好像感觉到有一些冰冷的物体落了下来。肯定是从怪物身上落下的。

结束了。

一阵寂静。

过了一会儿，还是什么声音也没有。之后才从已经毁坏的开关座上传来轻微的一声扑哧。

尤比特小心翼翼地转过身。

怪物还在那儿，还像当时那样透明。不过它已经僵住了。就像用水做成的怪兽突然结成了冰一样。

“这……这是什么？”薇姬声音颤抖地问道。

“人造材料！一种所谓能思考的人造材料！”尤比特解释道。汉宁斯先生在车上告诉了他一切。

“人造材料？”尼克简直不能相信。

“制造它是为了让它代替现在连机器人也难以完成的工作。不过这种材料被人从实验室偷走了，还被乱用，这才制造了这个怪兽。它今晚本来计划将整个城市夷为平地。”尤比特说。

“很抱歉一直没出手，因为我必须让它靠近点才行。”汉宁斯先生解释道。

“那个弗兰兹·卡尔·梯曼怎么样了？”尼克很关心，“那个弗兰肯斯坦博士？”

尤比特指指楼上：“他被绑在前厅了。”

汉宁斯先生赞许地朝三人点点头。“你们的惊恐小虎队还真不赖。”

“请告诉我们的父母，他们可不这样认为。”尤比特说着鼻子哼了一声。

他们精疲力竭地走上楼去解救汉宁斯先生的同事，

还要打电话报警。

“可是这儿发生的事我们要保守秘密！”这个化学家说，“我们会对外宣称梯曼偷了这座雕像；我们可以作证，说他还在这儿搞非法实验。”

尤比特、尼克和薇姬点点头。

“那么怪兽真的不会动了吗？”尼克问。

这次轮到化学家点头了。

好吧，这个只有他才有发言权。可是他们没注意到有一小块人造材料滚到了一个角落里。它没有被固定剂喷到。这团东西会变成什么呢？

棺木里的惊声尖叫

爱德华的棺材

在旧货商店的大门后，出现的是完全另外一个世界。当尤比特·卡茨和他爸爸一踏进去的时候，他们就立即发现了这一点。

屋外正是一个凉爽的夏日。尤塔·伦丝克的商店里却闷热得让人窒息，仿佛像长时间被太阳晒过的屋顶一样。

一股奇怪的气味立刻蹿入尤比特的鼻子里，好像是潮湿陈旧的东西，发霉的墙和油腻破烂的皮革的混合味，空气中到处是飞舞的灰尘。

就连尤比特的爸爸——埃拉斯穆斯·卡茨教授，也难以呼吸。他无奈地瞥了一眼儿子，抱歉地耸了耸肩。

“这儿如此污浊难以忍受，又不是你的错！”尤比特轻声地说。

一扇门帘将旧货商店分隔成了前后两部分，门帘被拨到了一边，走出来一位老妇人。她虽然拄着一根拐杖，却走得笔直，仿佛肚子里吞进了一把扫帚似的。

“你们终于来了！”她朝他们打着招呼，一点儿也不客气，而是满肚子抱怨。

“您好！伦丝克夫人！”尤比特的爸爸不动声色地说道，“我是埃拉斯穆斯·卡茨，是您要求我过来一趟的。”

在一个笨重的破旧柜子后面出现了一个消瘦孱弱的男孩。他戴着一副眼镜，双眼在厚厚的镜片后显得巨大无比，穿着一条灰色的裤子，白色的衬衫外面罩着一件短袖的羊毛套衫。

哎哟！这是哪个年代的衣服啊！尤比特暗暗地想。

“大约两天前我收到了一批新货，是住在西伯利亚的一个老伯爵送来的，是他收藏的破烂货。但是其中有一样东西却让我伤透了脑筋。”伦丝克夫人解释道。这个精力充沛的老妇人给了尤比特爸爸一个眼神，示意他跟着往后走。当她刚转过身时，恰好撞到了刚才那个男孩身上。

“你有没有长眼睛啊?!”她叱责道，转头对尤比特的爸爸解释说，“这是我的侄子凯，他的父母都在国外工作，就和我住在一起，唉，总是笨头笨脑的。”

凯羞愧地低下了头。

旧货商店到处都堆满了破烂旧货，从屋顶一直堆到地面，帘子后面的储藏室也是如此。伦丝克夫人一路上不断地用拐杖将破花瓶、废报纸、塞满东西的绒布玩具和一个布满洞眼的大包移到一边，才开辟出一条道路。她带领着卡茨教授来到一张被布盖着的画像前，画像的前面堆着像长条板凳一样的东西，同样也被布盖着。

伦丝克夫人一下子就揭去覆盖在画像上的布，画上面是一个年轻的男子，穿着深绿色的紧身上衣，头发很短，一顶长形的帽子斜戴在头上。

“您看！”伦丝克夫人指着有些肮脏的金属纪念章命令道，那个纪念章就在画像的下面。

那上面写着：**爱德华·冯·蒙特内罗**

伦丝克夫人又飞快地掀开了盖在那长板凳上的布。

尤比特吃了一惊。

出现在眼前的居然是一口黑色的棺材。棺材的表面装饰着金属雕刻的花纹。尤比特仔细一看，发现雕刻的原来是蝙蝠、蛇和死人骷髅头。棺材用粗粗的铁链绕了好几圈，上面还有好几把硕大的挂锁。

“现在您再看看这个！”伦丝克夫人说着，她骨瘦如柴的手指正指向了棺材头部的几个粗大字体。

上面也刻着：**爱德华·冯·蒙特内罗**

伦丝克夫人挑衅般地望着卡茨教授。

“一口没有下葬的棺材。”教授若有所思地说道，他仔细研究了棺材盖和底部的缝隙，并试着用手摸了摸，“这口棺材既没有焊接也没有密封，这些铁链条倒是非常奇怪。”

“哦，对了，您估计会用得上这些！”伦丝克夫人神秘兮兮地说道。她从衣袋里掏出三把生了锈的钥匙，递给教授。

尤比特的爸爸试着用钥匙去开挂锁，但是没有成功。第一把钥匙折断了，另外的两把钥匙就连锁眼也插不进。

正当卡茨教授试着摇动铁锁链，意想不到的事发生了！

铁链像旧绳子一样断裂开来，散落到地上，发出丁零当啷的声响，顿时地上升起一团灰尘。

尤比特吓得惊叫一声。

“叫什么叫?!”伦丝克夫人冲着尤比特嚷道。

尤比特也很责怪自己。但他真是被吓到了，因为他觉得有一股寒气袭上了他的胳膊，而站在身边的只有凯。

“我根本就不想让这个孩子看到听到这些，这一切都与他无关!”伦丝克夫人尖刻地说道。

卡茨教授扬起眉毛，深深地叹了口气。尤比特明白了爸爸的意思，生气地嘟起了嘴，退了出去，来到旧货商店的前面。凯紧紧地跟着他。

尤比特问凯：“你知道你的姑姑为什么要给我爸爸打电话吗?”

凯点了点头。他脸上的表情很严肃。他的眼睛看起来就更大了。

“是为什么呢?”尤比特打破沙锅问到底。

好几次，凯的话到了嘴边，却又咽了下去，最终什么也没有说出来。

“到底是为什么呀?”尤比特不耐烦起来。

最终，凯凑到尤比特的耳边，小声地说起来。尤比特吃惊地张大了嘴巴，半天也合不拢。

奇怪的响声

傍晚时分，尤比特和爸爸坐在法尔肯费尔斯城堡的厨房里吃晚饭。尤比特做了土豆烙饼。自从妈妈去世后，家务活就落到了尤比特身上。他的爸爸卡茨教授完全没有时间理会家务活，他没日没夜地埋头于自己的学术研究，忙着为各种杂志写文章或者到处作报告。

“你对那个幽灵棺材怎么看？”尤比特急于想知道。

卡茨教授笑了笑：“我的判断是：完全是因为棺材中的蛀虫在作怪。当它们在腐烂的木头中钻洞时，就会弄出这些声响。”

尤比特听到这样的解释很是失望。他原本还期待着一个更加让人兴奋的答案呢！

“木头里的蛀虫？你确定吗？伦丝克夫人和她的侄子两个人昨晚上都听到了奇怪的响声，而且他们很确定，这响声就是从棺材里发出来的。”

至少凯是这样说的。

卡茨教授点点头：“是的，我确信，就是那些木头蛀虫搞的鬼。那口棺材大约有三百多年的历史了，里面肯定是空的。我觉得这不过就是个玩笑而已，这个爱德华只是吓到了他的朋友罢了，估计他当时被埋葬在了家族墓地中，而被他当做玩具的棺材现在流落到了旧货商店里。”

“但是……说不定……真有什么人在里面弄出声音呢！”尤比特小心翼翼地说道。

他的爸爸笑着摇了摇头：“肯定没有！”

尤比特拿着勺子来回拨动着土豆块。“你打开棺材了吗？”

“没有，棺材打不开。但是我把它抬起来过，它很轻，这说明里面是空的！”

对于尤比特的爸爸来说，这件事就到此为止了。但是对尤比特来说，事情远没有这么简单。他想立刻就召开惊恐小虎队的会议，告诉成员们这件事。小虎队的三名成员早已经历过几次不同寻常的恐怖事件了。当他给他的表妹打电话时，爸爸在一边插话说：“如果薇姬和尼克过来的话，叫他们别忘了带上家用日光浴机器，我向他们妈妈借的。”

凯蜷缩在旧货商店里的一个纸箱上，读着一本厚厚的书。不过这只是他打的幌子，事实上，他一直不停地从书的边缘偷瞄着他的姑姑。伦丝克夫人是禁止凯进入储藏室的。但是凯就是想去看看有什么发现。

伦丝克夫人从储藏室里走出来，全副武装，手里提着拂尘、掸子、地板刷和水桶。

“我还从没见过这么脏的地方呢！”她冲着凯叫道，

“听着，我现在得去买些东西，图尔科瓦茨先生待会儿要过来取那些玻璃罐儿。你告诉他，他必须在这儿等我回来。你听明白了吗？”

凯乖乖地点点头。伦丝克夫人说完走出了商店，可是还没等商店的门关上，凯就啪的一声合上了书，偷偷地溜到了储藏室。为了保险起见，他还拉上了门帘。

顿时可怕的黑暗笼罩住了他。凯缩了缩脖子，他感到有人在盯着自己，仿佛几百双眼睛在逼视着他，这些眼睛就在自己的身后。他慢慢地转过身，抬起头。

凯爆发出了一声尖锐的叫声，急速向后退了几步。是自己产生的幻觉还是那些眼睛真的在动？

一些坚硬的东西碰到了他的膝关节，凯顿时失去了平衡，向后摔去。他摔进了一个铺着软垫的窄箱子中。铺着软垫的箱子？

无比惊恐，凯终于发现那个所谓的箱子是什么。他立刻试着从那口狭窄的棺材中爬出去，但是没有成功。一双干巴巴、冷冰冰的手掐住了他的脖子，使劲儿地把他往下按。凯闻到了一阵腐烂的气息，他的面前出现了两道白光，凯又一次吓得尖叫起来。那是充满恐惧和震惊的尖叫声，叫声长久地回荡在旧货商店的储藏室中，却转瞬间被厚厚的门帘挡住了。

大约十分钟后，惊恐小虎队的成员聚集在旧货商店

的门口。

“早上好啊！”尤比特喊着。

薇姬扮了个鬼脸：“你大概是指晚上好吧。现在都已经超过六点半了，真奇怪，这家旧货店居然还没有打烊。”

“喂！有人在吗？”尤比特问道。

商店里寂静无声。尤比特朝着厚厚的门帘走去，伸出手把门帘往边上拨了一下，顺着门边上的墙摸着电灯开关。他发现了一根很粗的电线，顺着电线摸去，尤比特发现一个旋钮开关。打开开关，天花板上的几个白炽灯泡发出了微弱的光芒。

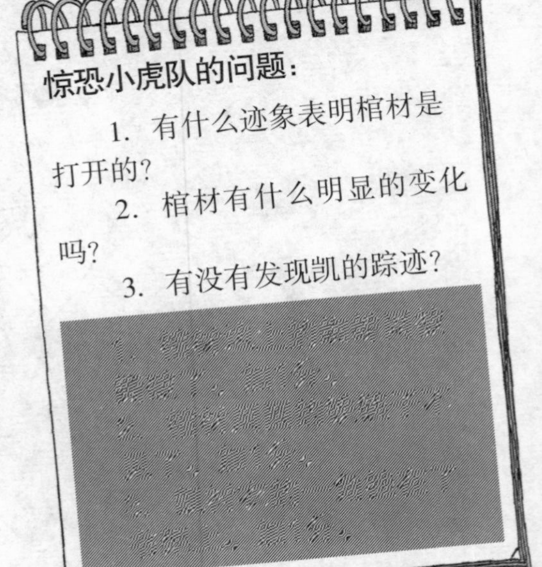

“哦，天哪！这儿发生了什么事？”尤比特轻声地说着。薇姬和尼克听到了，也挤到这间发霉的屋子里来。

“那口棺材……它……居然打开了，我发誓！”尤比特喃喃地说着。

棺材开了

三个人慢慢地一步一步走向那口棺材。

尤比特转向旁边两个人："我感觉到有一只无形的手拉着我，你们也有这种感觉吗？"

薇姬朝他翻了个白眼："男孩子们，平时总是喜欢说大话，到了关键时候，你们就腿软了。"

尼克和尤比特对看了一眼，相互点了点头，退到两边，冲着薇姬做了一个请的姿势。

"呃，那个……"薇姬急急忙忙地用毛衣角擦了擦眼镜。

"怎么啦？是不是我们的腿软也传染给你啦？"尤比特讽刺地问。

"你们这群胆小鬼！"薇姬骂道，朝着他们两个人吐了吐舌头。她摆正了身体，深吸了一口气，疾步走向了棺材，上下、左右匆忙地打量起来。

"这儿什么都没有，尤比特，你在胡说！"薇姬下了结论，当然，她又匆忙地退回到后面，离开了棺材。

砰！

什么声音？尼克匆忙地环顾四周，有什么不对劲儿，到底是什么呢？

砰！

屋子是不是变黑了？

砰！

薇姬这才明白过来："是白炽灯泡！灯泡灭了，一个接着一个！"

紧接着又是连续几声"砰！砰！砰！"，剩下的几盏灯泡也都熄灭了。一瞬间储藏室里陷入了漆黑中。

"快跑！"尤比特的声音里充满了紧张和害怕。他推搡着其他人想要跑到过道上，但是用力太猛，尼克惊叫一声，被推倒在地上。薇姬也被尼克绊倒在地上，尤比特自己也摔倒了。

这时突然出现了一条细细的光带，闪烁着奇异的光芒。

尤比特、薇姬和尼克三个人不约而同地尖叫起来，这太不可思议了！

储藏室里发出了一阵绵长而高亢的嘎嘎声，光带越来越宽，棺材的盖子缓缓地抬起，从里面发出了一束幽暗的绿光。

惊恐小虎队的三个成员费力地站起来，他们在慌乱中不当心踩到撞到其他人，相互挤成一团，喘着粗气呻吟着。

忽然他们听到一阵嘶哑的尖笑声，笑声越来越大，哧哧的低笑变成了威胁般的大笑。

“那是……那是从棺材里发出来的。那里面真的有人！”尤比特脱口而出。

“我们得过去看看。”薇姬轻声地说着，“这可是千载难逢的好机会！”

“你疯了吗？”尼克叫道，“绝对不行！”

尤比特还没有拿定主意。

棺材的盖子已经打开了，但是挡住了三个人的视线。如果他们想知道更多的话，他们就必须再靠近棺材一点。

薇姬的惊叫

尖锐刺耳的嘎嘎声已经停止了。那恐怖的笑声也听不到了。只有那束幽暗的绿光还在闪烁，好似把屋子里的一切都蒙上了一层怪诞的阴影。

“那个……现在怎么办？”尤比特可怜兮兮地问道。他想马上就离开这个鬼地方，但是又不敢承认。

“我看，现在我必须亲自出马了。”薇姬回答着，她尽力使自己的声音听起来轻松一点。看到其他两个男孩子像胆小鬼一样在那里站着，她觉得很刺激，尽管自己的腿也一直在不停地发抖。

“别！”尼克喊着，但是已经太迟了。

薇姬没有多想，几大步就跨向了棺材。她站定在狭长的棺材尾部，直直地打量着它。那束绿光照在她脸上。

“你看到了什么？”尤比特想知道。

就在这一瞬间，那束绿光消失了，取而代之的是一片漆黑。

“啊！啊！”薇姬的惊叫声很短暂，一下子就消失了，仿佛被什么东西掐住了脖子。这时有什么东西掉在了地上，砸碎了木头地板。

“薇姬！你……你怎么啦？发生什么事了？”男孩子们喊道，他们的叫声又高又尖。

寂静一片，没有回答。

“薇姬！说话呀！”尤比特催促道。

还是死一般的寂静。

“你带手电筒了吗？”尤比特问道。

“没带！”尼克绝望地低声说着。

“我们必须把电灯打开！”尤比特喘着粗气说。

“但是电灯泡全部灭了！”尼克提醒说，“薇姬，薇姬……不会发生什么事吧？”

薇姬出事了！这个念头闪进了尤比特的脑海，但是他没有说出声。

那束诡异的绿光又亮了起来。

薇姬刚才站着的地方空无一物。

“薇姬到哪里去了？”因为恐惧，尼克的嗓子已经嘶哑，他痛恨自己如此害怕。

“她肯定是和我们开玩笑的。”尤比特想宽慰尼克，但是就连他自己也不相信这话。尽管如此，他还是说：“嗨！薇姬，快出来吧！你藏在哪里了？”

储藏室里仍然寂静无声。外面也毫无声响。

“可能……可能她摔进棺材里了，不省人事了！”尼克低声喃喃地说着。

尤比特的脑海中涌现了乱七八糟的念头。薇姬可能在棺材里发现了一些骇人的东西所以吓晕了。但是为什么自己和尼克没有听到她摔倒的声音呢?

“快来，我们必须查明白到底发生了什么!”尤比特说道。还没等尼克反对，尤比特就抓住了尼克的胳膊，拖着他一起往前走。他们站在了刚才薇姬站过的地方，只望了一眼棺材，两个人都倒吸了一口凉气。

“不!”两个人同时大叫，“啊!不!”

绿光再一次熄灭。尤比特感受到了一丝冰冷的呼气笼罩在身边，只觉得自己被猛地一踢，头朝下就摔进了棺材。一秒钟不到，尼克也接着摔了进来。一阵短暂的嘎吱声后紧接着是巨大的爆裂声，把储藏室的墙壁震得抖了几下。布满灰尘的旧玻璃瓶纷纷从架子上坠落，掉到地上摔成了碎片。

立刻传来一阵笑声。这笑声低沉并带有喉音，听起来冷酷而残忍，让人毛骨悚然。

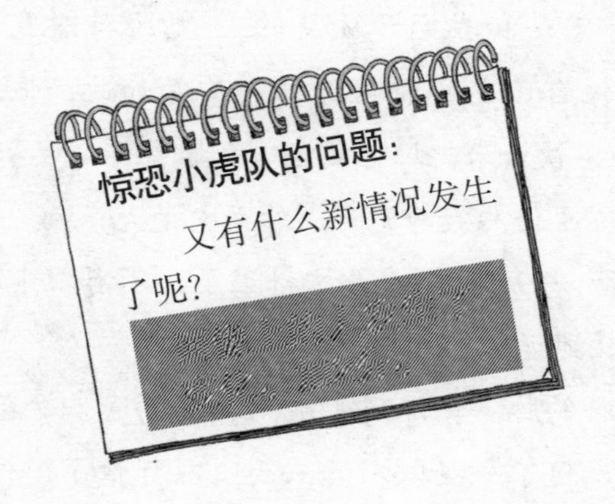

城堡

尤比特和尼克感到仿佛一块冰盖子盖在了身上，寒冷彻骨。周围一片漆黑，死一般地寂静。两个人甚至可以听到自己血管里血液的流动声。

突然两个人听到一阵轻微的喘息声，随之而来的是一声叫声：“啊！滚开！给我下去！”

两个人不知道发生了什么事，只感到自己又被乱踢又被撕咬。

“薇姬，快住手！是我们！”尤比特安慰道。

“尤比特？尼克？是你们？怎么回事，你们是想把我压扁吗？”

“怎么会呢？我们和你一样，也掉进了棺材里！”尤比特解释说。

“那就赶快出去呀！我都快透不过气来了！”薇姬的双脚又开始乱动，又踢又蹬。

“不行，盖子打不开！我们……我们被关在里面了！”尼克痛哭。

薇姬伸出双手，摸着周围的环境。

“棺材？你们在说什么棺材？我们现在不在棺材里！”她边说边用力地把男孩子们推到一边，直起了身体。她用手捋了捋头发，深深地吸了一口气。

这三个人原来早就不是在棺材里了，而是在一片旷野中。地面坚硬冰冷，到处是碎石子。在他们头顶是辽阔的黑夜天空，大片大片的深色云朵快速地变换着形状，被云朵遮住的月亮时不时地露出光芒，照亮周围。

尤比特心想，自己这是在哪儿呢？他站起身转了个圈，向四周望了望。他们原来是在一个小山丘上，有一条山路蜿蜒而上，在小路的转角处都点着火把。

山下面广阔的平地上布满了低矮的平房，在山丘顶上矗立着一座由许多尖塔楼组成的城堡，城堡非常破旧，只剩一些遗迹和残骸，一条长长的宽阔的台阶通向城堡大门，在月光里闪着银色的光芒。

"我想我一定是在做梦！"尼克叹了一口气。

"我也希望如此，但是事情就是这样！"薇姬冷冰冰地回应着。

直到此时，三个人才发现，他们穿的牛仔裤和毛衣都消失不见了，身上穿的居然是靴子，浅色长裤和红色的外套。外套上缝着铜纽扣。胸前甚至还有花边流苏和褶子。

尼克皱起了眉头，他用食指拉扯着那些褶子，好像它们是有毒的怪物似的，他喃喃地说："到底是怎么回事呢？"

"我们的衣服怎么会变成这样？我们怎么会来到这里呢？"尤比特难以置信，一直摇着头。

“肯定是和那口棺材有关！”薇姬猜测说。

三个人沉默不语地站在那里，抬着头望着夜空。尤比特依然感觉到有人在看着自己。是自己弄错了吗，还是真的有人在边上？

那座城堡看起来，完全不像是有人住的样子。

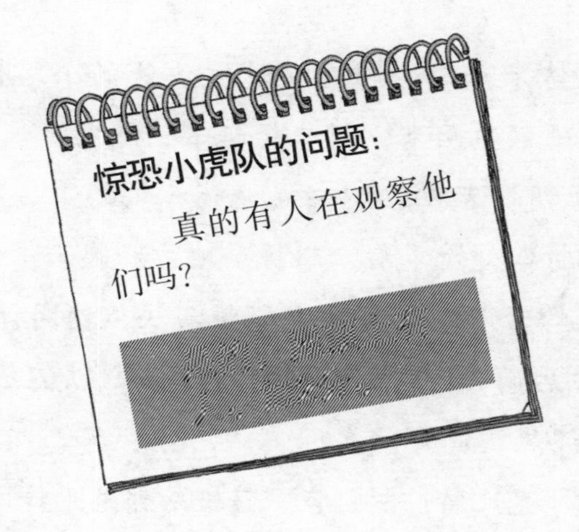

迟到的来客

薇姬朝着尤比特俯下身，轻声耳语道："那是谁？"

尤比特耸了耸肩，表示自己哪里会知道呢。

"那个人……那个人不是在看我们，他是在找人呢！"尼克说。

远处传来一阵马蹄声，坑坑洼洼的小路上，一辆马车从远处颠簸而来，随之扬起了一阵尘土。

"它正朝着这里过来！"尼克喘着气说。

尤比特四处看了看，想找个地方躲起来。他发现了一些大块的岩石，于是指着那些石块，朝同伴耳语说："快！躲到后面去！"正在这时，月亮又消失在云层后面，四周一片漆黑。

"啊！"尤比特惊叫一声。薇姬感到尤比特掉了下去，正想要抓住他，却摸了个空。

从下面传来一阵轻微的呻吟声。

月亮重新钻了出来，照亮了岩石后面他们的藏身之处。薇姬和尼克倒吸了一口凉气，他们发现地面上有一个至少有两米深的长方形大坑，旁边堆着的是挖出来的泥土。尤比特背朝下，躺在土坑里，不敢动弹，因为每动一次他都会疼痛不堪。

"我们救你出来！"薇姬喊道。但是看来尤比特还得多等一会儿。那辆深色的马车急速驶过一个拐角，来到了那宽宽的楼梯前。

“吁!”马车车夫大喝一声，拉住了缰绳。马匹长啸一声后停了下来，咆哮着扬起了前蹄。马车车门打开，一个人走了出来。他戴着一顶高高的大礼帽，披着宽松的斗篷，手里面拿着长形的手提包。

“看起来像是个医生。”薇姬轻轻地对着弟弟尼克说。

两个人趴在岩石的后面，从石缝中偷偷地观察着一切。

那个人走上长长的台阶，来到大门前，扣打着门环，那门环的形状是一只正在吠叫的狗头，啪啪啪，那个男人扣了三下。几分钟过去了，门才被打开。

出来开门的是一个戴着尖顶礼帽的女人，她系着长长的灰色围裙，手里举着一个烛台，照了照这个迟到的访客。

“我是阿尔方斯·达瑞姆，是伯爵叫我来的，他正在等我。”那个男人用低沉的声音说着。

当他走进去后，大门又轰隆一声被重重关上了。

“怎么回事?你们什么时候才能把我拉出去?”从底下传来了尤比特的声音，“我可不想一直待在这个鬼坑里!”

薇姬和尼克俯下身，趴在土坑的边上，朝坑里伸出手去。尤比特抓出了他们的手，三个人一同使劲儿，终于把尤比特拽了上来。

尤比特大喘了一口粗气，朝着身后一块巨大的岩石靠过去。那块岩石出人意料地向后弯折，断裂开来。尤比特一个踉跄，像不倒翁一样往后倒去，正朝着那个土坑摔去，眼见他又要掉下去了。费了九牛二虎之力，尤比特才在土坑的边上站定。

“怎么回事？搞什么鬼？”他上气不接下气地说。

薇姬紧张地含着一缕头发，脑海中像放电影一样闪过一幕又一幕：新挖开的墓坑、摇摇欲坠的石块、城堡中的夜间访客，这一切都意味着什么呢？

正在这时，尼克发出了一声喊叫：“幽灵啊！有幽灵！”

尤比特和薇姬疑惑地望着他。

惊恐小虎队的问题：

尼克在哪里见到了幽灵？

城堡中的聚会

尤比特又向前走了几步，朝下观察着陡峭的山坡。他向朋友们使了个眼色，示意他们靠近一些。

“你们看见这里的宽宽的痕迹了吗？”他问。

尼克和薇姬点了点头。这有什么关联吗？

尤比特又检查了一下地面，说：“根据痕迹说明石头是从这儿运上来的。这一点我很肯定。很可能还是今天刚刚被拖上来的。”

“那些石头是用来做墓碑的吗？”

尼克看了看薇姬，又望向了尤比特。两个人都慢慢地摇了摇头。已经有一块墓碑了，它背面朝上，躺在那个墓坑的一端。

“过来！我们把它翻过来。也许上面刻了名字。”尤比特说。

三个人用手拨弄着地上松软的泥土，拉扯移动着墓碑。头顶的月光照亮他们。

薇姬忽然收回了双手。他们身边的地上出现了一个人的影子。她转过身，看见了一张年迈的脸庞。那个人骨瘦如柴的手上正举着一盏防风灯。

“你们在干什么？”那个男人问，声音嘶哑混浊。

“没……没干什么！”薇姬结结巴巴地说。

尼克和尤比特也顾不得墓碑了，慌忙在身上擦了擦有些脏的手。“对，对，我们什么也没干！”两个人附和着说。

“我才不会相信你们！你们必须跟着我去见伯爵，看他是不是相信你们的鬼话！”

惊恐小虎队的三个成员都退后了几步，看起来想要逃跑的样子。

那个老人吹了一声响亮的口哨，恐吓地举起了一根棍子。寂静的夜色中忽然出现了几声狂吠声，原来是四条凶猛的大狗，它们押送着三个人，并且不停地发出咕噜咕噜的吼声。

尤比特、薇姬和尼克没有办法，只得乖乖地跟着老头儿。他带领着他们走上了那条长长的台阶，打开了大门。

那四条大狗蹲在下面，坐在最下面的那级台阶上。

“快进去！”那个男人吼着，用棍子将三个人赶进城堡。大门在他们身后关上，发出了一声巨响，那个老头儿给大门上了三道锁。当他抽出钥匙的时候，整个城堡都发出一种轰隆隆的声音。

“但是……我们……我们什么也……”薇姬断断续续，好久都不能说出一句完整的句子。

那个老头儿却消失得无影无踪，他们三个人孤零零地站在空旷的大厅里，大厅中间全是石头的柱子。

“我们是不是该叫一声？”尼克问。

尤比特使了个眼色，示意他们向右看。那儿有一扇门，门没有被关紧，开了一条缝隙。从门里发出微弱的灯光，照射在地上。隐约能听到嗡嗡的说话声。

三个人踮起了脚，蹑手蹑脚地朝着门的方向走去，透过门缝向里看。门后面原来是一个大厅，大厅里有一把镶着软垫的椅子，上面坐着一个男人，就是那个他们刚才在屋顶上见到的男人。他的身后和旁边站着很多人，所有的人看起来都非常兴奋。

尤比特低头看了看自己，终于确定，那些人和自己身上的衣服一模一样。那些女人穿的衣服则和薇姬穿的一样。尤比特又看到火炉边上斜靠着一个男人，就是刚才那个坐马车来的人。

“达瑞姆医生，我们早就在等着您了！您怎么来得这么晚？”坐在软垫椅子上的男人发问。

这个人难道就是伯爵吗?

“路上有一座桥坍塌了，马车必须绕很大一个圈子才能过来。”那个男人解释说，原来他果然是个医生。

“您知道我们请您过来的原因吧!”坐在软垫上的男人又发话了。

那个医生来回地踱着步，按着手指的骨节，发出咔咔的声音，说:“是因为你的表弟，他前几天被发现死在了床上。根据家族的传统，他会被安葬在家族墓地中，也就是在城堡的地下室里。到这里，我说的都对吧？”

那个老男人和众人点了点头。

“但是，不幸的是，您的表弟并没有真正地死去，他每天晚上都从棺材里跑出来，搞得周围不得安宁。他寻找着他的猎物，用那尖利的牙齿刺进人的皮肤里，吸光他的血，他就是人们所说的吸血鬼。他自己就是被吸血鬼咬死，所以才变成吸血鬼的。”

尤比特的脸色煞白，嘴唇颤抖着。

“究竟发生了什么事？”薇姬急于想知道。

“太可怕了！简直太可怕了！”尤比特喃喃地说。

惊恐小虎队的问题：
发生了什么事？

吸血鬼捕手的计划

“我们必须警告他们！”尤比特脱口而出，“吸血鬼就在他们中间！”

尼克不相信地摇了摇头。

“没错！他就在那里！镜子可以证明这点。吸血鬼是没有影子的。从镜子里面可以看到其他人的影子，但是看不见他！”尤比特解释说。

大厅里的人们对此毫无察觉，仍然专心致志地听着医生的话。

“您有没有按照我的吩咐，叫人把棺材挖出来？”他问道。

伯爵点了点头，说：“棺材就在我们的视线范围之内，还有，我们也运上来了很重的大石头。”

达瑞姆医生满意地笑了笑，说：“我的行动一旦完成，我们就把它深深地埋葬在墓坑里，再压上大石头，这样他就永远不会逃出来了。”

“您准备怎么做呢？”伯爵想要知道。

达瑞姆医生打开手提包，拿出一个削得尖尖的木锥子和一把木槌子。他给大伙儿展示了一下，这些人吓得抽了口凉气。“对付吸血鬼唯一的办法：那就是用这根木锥子刺穿他的心脏！”

那些人惊呼一声，用手捂住了脸。

“我已经用这种方法制伏了很多吸血鬼了。”达瑞姆医生胸有成竹地说。

薇姬听不下去了，她冲进大厅，大厅里燃烧着成百支蜡烛，她喊道：“吸血鬼就在这儿！”

人们一开始睁大了双眼，愣愣地看着她，紧接着此起彼伏地尖叫起来，颤抖着退到墙边。

达瑞姆医生大步流星地走到薇姬面前。他用深邃、咄咄逼人的目光打量着薇姬，说：“你是哪家的孩子？你在胡说什么？吸血鬼在哪里？”

“那儿！”薇姬指了指刚才看见他的位置，但是那里空无一人。薇姬望了望四周，寻找着吸血鬼的踪影，但是一无所获。

“他……他不见了！”薇姬开始结巴了。

达瑞姆医生挑衅地站在薇姬前面，眉毛竖立，呵斥道：“在这里捣什么乱！”

尤比特明白了为什么达瑞姆医生这么生气。原来达瑞姆医生以为薇姬想要插手干预自己的事。

伯爵从椅子上站了起来，迈着僵硬的步子来到薇姬面前，问：“你是谁？我从来没有见过你。你是怎么来到我城堡里的？”

“外面……外面那个老头……他把……他说我们应该

来见您。”薇姬语无伦次地说着，还胡乱地挥动着双手。

“那应该是阿尔方斯，心地善良的老好人阿尔方斯。我命令你们赶快出去，快回家去吧。这里晚上可不怎么安全！”伯爵警告似的竖起了长长的食指。

“好的，好的，我们这就走。”薇姬一边保证一边溜出房间。

“但是我们准备怎么离开城堡呢，大门被锁住了！”尤比特喃喃地说。

从身后传来一阵丁零当啷的声音。三个人转过身，看见了阿尔方斯，他的双唇紧闭着，用死鱼般的眼睛盯着他们。

“跟我来！”他说，伸出骨节凸起的手向他们做着手势，他经过那扇大门，走向转角的一个向下的旋转楼梯。

“您为什么不让我们出去呢？”尤比特想知道，但是没有答案。

阿尔方斯的鞋子在石阶上发出啪啪的声响。

“跟着我！”他又一次嘶哑地说道。

三个人迟疑地跟在他后面。

旋转楼梯看起来似乎没有尽头，像一颗巨大的螺丝钉，他们三个人正在往城堡的地底下走去。在他们经过的地方，两面墙上的金属支架上插着火把，火把上飘出缕缕黑烟。被火把照过的墙壁上黑得像炭一样。

薇姬、尤比特和尼克不断地经过一扇扇的门，一些门上了锁，另一些则半掩着，可以听到嘈杂的响声。

几个人终于来到了楼梯的尽头。阿尔方斯从墙上的

支架取下一个火把，朝孩子们挥了挥手示意他们跟着他，“快来！快点！”他催促地说。

尼克拦住了薇姬和尤比特。

“不行！别……他，他就是吸血鬼！”

尤比特和薇姬不相信尼克的话。他们脑海中只有一个念头：快点离开这个城堡！

于是，他们陷入了没有出路的困境中。

惊恐小虎队的问题：

1. 为什么那个人不是真正的阿尔方斯？

2. 有什么证据表明他就是吸血鬼？

身陷囹圄

阿尔方斯取出一串硕大的钥匙，寻找着正确的钥匙。他打开了那扇沉重的木门，木门嘎吱嘎吱，打开了。

“沿着楼梯走下去，你们就能到附近的村庄了。”阿尔方斯喘着粗气说。还没等到惊恐小虎队的三个成员走进去，他却一下子消失得无影无踪了。

“我们应该……”尼克没有再说下去。他身后的大门啪的一声被关上，从另外一面反锁上了。

“喂！”尤比特大喊着。

“你在喊谁？”薇姬不明所以。

“我没有喊谁，只是想要试试看，我们是不是已经出了城堡。可是我们现在根本不是在外面，我们还在城堡里！”尤比特说着，摸索着向门口走去。他晃动着门把手，但是已经太迟了。

“留着你们给我当夜宵！”外面传来地狱般恐怖的声音。

尤比特俯下身，透过钥匙孔朝外张望。尼克说的是对的。带他们来的根本不是原来那个心地善良的老头儿阿尔方斯，他现在已经变成另外一个人了，留着长长的雪白的头发，双眼血红，脸色苍白。他张开血盆大口，头向后仰着，哈哈大笑起来。两颗长而尖的牙齿从他的嘴里露出来，在火把的照射下发出诡异的亮光。

“哈哈哈哈！”吸血鬼咆哮着狂笑起来，突然血盆大口凑近钥匙孔，好像要把尤比特吃了一样。尤比特大喊一声，连忙向后退。

吸血鬼的笑声更加响亮了，他旋风一般地走了，只留下那恐怖的笑声仍然回荡在城堡里，余音不绝。

尼克生气地说:“为什么你们总是不相信我?”薇姬和尤比特只得叹了一口气。

“我们必须想办法逃出去。”尤比特解释说。

尼克讽刺地嘲笑说:“说得太对了！可惜我们现在是在地牢里！这种地牢是没有出口的。”

这时外面响起了脚步声和说话声。尤比特又俯下身，通过钥匙孔向外张望。原来是伯爵、达瑞姆医生和另外两个人走下了楼梯。

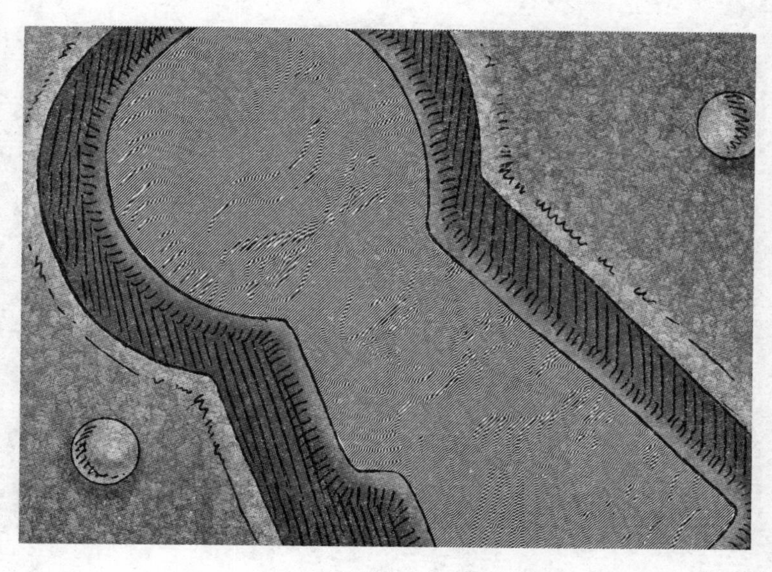

“这两天来我一直睡不好觉，三天前我无意中发现了我的表弟悄悄回到城堡中，”伯爵低沉地说，“他进了墓室，锁上了棺材的盖子，我大概就知道他那些见不得人的勾当。”

惊恐小虎队的问题：

三个人怎么样才能逃出去呢？

其中的一个人不停地捋着自己尖尖的胡子，提高了嗓音问医生：“您觉得这个时候能碰到吸血鬼吗？现在才刚午夜！”

达瑞姆医生挥了挥手，安慰大家说：“据我所知，伯爵已经安排妥当，确保吸血鬼是跑不出来的。”

伯爵快速地点了点头，说：“我已经把棺材用蜡密封住了，而且外面还缠了铁链，从这样的棺材中没有人能够逃出去。”

尤比特开始用拳头砸门，他们都弄错了，吸血鬼早已经逃出去了，必须得告诉他们！

“快！和我一起喊！”他冲着他的朋友们喊道。

他们竭尽全力地大喊大叫，边喊边踹着大门，尤比特再次从钥匙孔向外张望。

“情况怎么样？”薇姬急于想知道。

尤比特泄气地耷拉着肩膀，说：“没有用！他们根本没有听见我们的喊声！”

尼克坐在地上，用手支起了脑袋，说：“这个地牢是隔音的，估计这里原先是刑讯室，这扇大门可以阻隔叫喊声。”

薇姬用手捂住了耳朵，呻吟地说：“住嘴！快住嘴！”

“我们必须从这里逃出去！”尤比特重复了一遍。

此时，他们三个人的眼睛渐渐习惯了屋子里的黑暗，也能看清楚这间地牢中的东西了。

恐怖的叫喊声

“老鼠会传染许多可怕的疾病，甚至是鼠疫。”尤比特喃喃地说着。

尼克也听说过，他害怕地说：“如果我们靠近，那些老鼠一定会咬我们的。”

薇姬摇了摇头，说：“典型的男孩子，一旦到关键时刻，立刻就没了胆量！”她用力地拍了两下手，同时嘴里发出呼呼的声音，立刻，老鼠四处逃窜，转眼就全跑到墙缝里去了。薇姬胜利地拿起钥匙，得意地举起来，冲着两个男孩子晃了晃。

“就这么简单！”

尤比特和尼克尴尬地沉默着。

正是这把钥匙。薇姬打开了门锁，三个人摸索着走出地牢。

“我们现在应该立刻去警告伯爵！”尤比特说完立刻向下跑去。他们还没到走廊的尽头时，就遇见了伯爵和另外两个人，他们惊诧地盯着三个人。

“你们在这儿干什么呢？你们不是应该离开城堡的吗？”

“那个吸血鬼……他还活着！他就在城堡里面！刚才他伪装成您的仆人把我们关在了地牢里！”尤比特上气不

接下气地说着。

“胡说！”伯爵一个字也不相信。

“你们必须要防范吸血鬼！赶快！快去厨房里拿一串大蒜。每个人的脖子上都挂上一串大蒜，这样就可以对付吸血鬼了。”薇姬对大家说。

伯爵和其他人对薇姬的话嗤之以鼻，说：“什么？大蒜？哎呀！想也别想！”

这时，从地下室传来一阵恐怖的声音，尤比特、薇姬、尼克和其他人都一下子沉默起来。

声音停了下来，随后是一片死寂，地下室的墓穴里一片安静。

“那个……刚才是什么意思？”伯爵满腹疑惑地看着大家。每个人都毫无头绪地耸了耸肩。

随之而来的是一声尖锐刺耳的叫喊声。大家都被这叫喊声吓了一跳。紧接着是三声急促的锤子敲打的声音。

然后又是寂静。

伯爵浑身瘫软，嘶哑地小声说：“他成功了！我们再也不用害怕黑夜了！”

啪嗒，啪嗒，啪嗒，伴随着沉重缓慢的脚步声，吸血鬼捕手走上了楼梯。他半弓着身子，长形的手提包紧紧地抱在胸前。“我的报酬！”他只对伯爵他们说了一句话。伯爵拿出两个装满了钱的皮钱袋，里面发出了硬币相互碰撞的叮当声，他向医生鞠了个躬，随后递给了医生。

“晚安！”达瑞姆医生和伯爵告别，走上了旋转楼梯，其他的人跟着他。

尼克向下面的墓穴瞥了一眼，颤抖地问：“吸血鬼……他怎么样了？”

“你不是听见了吗？他现在已经真的死了，葬在墓地里了。”薇姬冲着尼克嚷道，她的心怦怦地剧烈地跳着。

“我们到下面去看看吧！”尤比特和其他人说。

“你疯了吗？”薇姬跳起来。

“你不敢了吗？”尤比特反问她，刚才薇姬在老鼠的事上表现得那么镇定冷静，这让尤比特心里一直耿耿于怀。

“你到底想下去干什么？”薇姬问尤比特。

“只是去墓穴里看看。”

“看什么呢？”

尤比特已经往地下室跑去了，还一边喊着：“如果你没胆量的话，就在上面等着吧！”

薇姬当然不肯示弱，她也跟着他们，但是紧紧地挨着尤比特。

一级一级台阶，他们向地下室走去。这一段楼梯没有火把，只点着蜡烛。每走一步，他们就越感觉到寒冷，就好像浸入了冰冷的大海中一般。

“等等！”薇姬伸出胳膊，拦住了尼克。尤比特没有听到，继续往前走。

“怎么啦？”尼克想知道。

“刚才……刚才有点奇怪。”薇姬轻声地说。

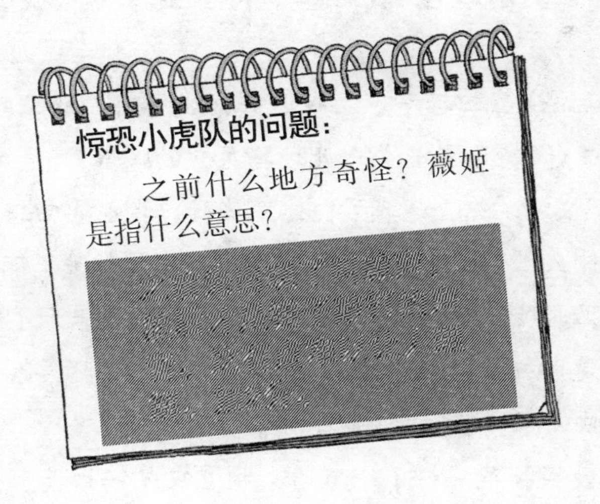

抉择时刻

薇姬忽然想起了什么："我们忽然就来到了这个城堡，但是我们是怎么来的呢？"

"我更想知道，我们怎么样才能逃出这个城堡？"尼克说。

"你试着回想一下，我们落到城堡前面的旷野之前，发生了什么？"薇姬使劲儿地掐尼克的胳膊。

"哎哟，你弄疼我了！你不掐我，我也能回想起来发生了什么！"尼克抗议地说，"你突然之间掉进了那奇怪的棺材里，接着我们也掉进去了。然后我们就来到了这里。"

这时，从下面传来了一声凄惨的喊叫。"你们在哪里？快点来！"尤比特喊着。

薇姬和尼克扮了个鬼脸，相互叹了一口气。他们可没有兴趣再走下去了。

"喂！快点下来！"尤比特的声音忽然变得嘶哑起来。一定是发生什么奇怪的事了。

薇姬和尼克快速走下了光滑冰冷的石阶，眼前看到的一幕，让他们顿时呆若木鸡。

楼梯的尽头是一扇铁铸的大门，门半敞开着。门后的墓穴中放着四口石棺材，墓室的顶上是一个巨大的烛台，里面点着蜡烛。墓穴的正中间的石头基座上也放着一口石棺，正是他们在旧货商店中看到的那口。惊恐小虎队的三个人马上就辨认出了棺材盖子上的蝙蝠图案和死人骷髅头。

尤比特立定深吸了几口气，鼓足勇气才进入了墓穴室中，他的心也怦怦直响。缓缓地，他绕着棺材走了一圈，在狭长的棺材头部站定，忽然他睁大了双眼。

“爱德华·冯·蒙特内罗。”他轻声地念道。

“原来他就是那个吸血鬼！”尼克不寒而栗，他们曾经躺在一个吸血鬼的棺材里！

薇姬紧张地扯着头发：“你们认为……你们觉得……吸血鬼……在旧货商店……那个敲打声……就是他？”

尤比特摇了摇头：“不可能！他已经……你听到的……那个吸血鬼捕手。”

“那么是谁把我们推进棺材里的呢？”薇姬生气地问。

尤比特立刻想到了凯。会不会是凯的恶作剧呢？

尼克慢慢地走向棺材，把手放在棺材灰色的表面上，棺材是由金属制成的。“这口棺材是唯一可以让我们回去的途径。”尼克下了结论，“你们也是这么认为的吗？”

“但是……那个吸血鬼……他躺在……插着木锥子……不，我不会进棺材的！”薇姬害怕地开始结巴起来。

尤比特小心翼翼地又绕着棺材转了一圈。“为什么棺材会在旧货商店出现呢？棺材不是被埋葬了吗？”

“问得好！”薇姬也是这么认为。

“我们现在怎么办？”尼克想知道，“我们得干点什么，难不成你们想永远待在这里？”

“我们得把棺材打开！”尤比特斩钉截铁地说。

薇姬不同意：“不行！我们到城堡前面的那个旷野，我们就是在那儿醒过来的！”

尼克茫然地望着尤比特，又看了看薇姬，不知道该怎么办。

惊恐小虎队的问题：
谁的建议比较好？

惊吓骇人

尤比特不容分说，站在棺材的一边，用力地扯着棺材盖子的边。但是棺材盖子纹丝不动。他又深吸了一口气，使出全身的力气再拉了一次。盖子还是没有动，但是整个棺材却被尤比特抬了起来，尤比特的力气耗尽了，于是棺材重重地掉落在基座上，扬起了一阵灰尘。

“那没有用的！”薇姬嘟囔着，“算了吧！”

这时从楼梯上传来脚步声。

“有人来了，他们一定是来抬棺材的！”尼克的声音在发抖。

“我们必须把盖子打开！必须这样！”尤比特急促地说。

“盖子被焊上了，是密封的！”薇姬喊道，“是谁干的呢？制伏吸血鬼的医生根本没有那么多的时间！”

三个人相互对望了一眼，没错！是谁焊上了棺材盖子呢？轰的一声，棺材盖子像爆炸似的飞了起来，就像是一把折刀一样，从里面弹出了一个发着蓝绿色幽光的身影！那正是吸血鬼！

“啊啊啊啊啊啊！”尤比特、薇姬和尼克像被烙铁烫到一样，拼命地叫了起来，“快跑啊！”

他们相互推搡着离开墓穴室，慌忙关上铁栅栏大门。

吸血鬼爆发出残忍冷酷的笑声。“你们是跑不掉的！”

他威胁地说，“我要吃了你们！我要吃了你们！”

三个人不停地喊叫着，沿着楼梯向上跑去，半路上遇到了四个穿着黑衣服的人，穿黑衣服的人严肃地看了看尤比特他们，奇怪地摇了摇头，但是并没有拦住他们。

“小心！吸血鬼还活着！”薇姬对那些人发出警告，但是那些人却仍然摇着头，蹒跚地走了。

一步两个台阶，三个人呼哧呼哧地爬着楼梯，跌跌撞撞地穿过散发着霉味的走廊，冲到旋转楼梯上。

逃出去！逃出去！逃出去！这是他们心中唯一的念头。三个人沿着旋转楼梯奔跑，所有的一切变得天旋地转起来。从墓穴里依然传出四个人骇人的叫喊声，他们肯定是遇到吸血鬼了。吸血鬼是不是把他们咬死了？他们也变成了吸血鬼？那么不就是五个吸血鬼在追逐薇姬、尤比特和尼克了吗？

走廊里、旋转楼梯上到处回荡着吸血鬼残忍的大笑声，听起来就好像吸血鬼无处不在。在他们的前面，在他们的后面，他们身边，他们上面和下面！到处是吸血鬼！

“哈哈！你们跑不掉的！”吸血鬼又一次疯狂地大笑起来。

终于，尤比特三个人来到了大厅里，眼看他们就要逃出城堡了！

“大门上锁了！”尼克忽然想起来。

“我们就从窗子爬出去！”尤比特指了指身边高高的拱形窗户，窗户由许多块彩色的玻璃镶嵌而成，上面画着骑士的图案。

尤比特绝望地找寻着窗户把手，却没有找到。

“快把它砸碎！”尼克大喊。

“你疯了吗？伯爵会抓住我们，重新把我们关进地牢的！”薇姬用双手拉住他。

“但必须把它打开！”尤比特陷入了恐慌中。

他身后的薇姬和尼克发出了一阵惊呼。

“你们怎么啦？”尤比特的神经高度紧张。

“快退后！”薇姬喊道。

可是已经太迟了！伴随着一声巨响，玻璃碎裂开。原本骑士图案的地方，现在站的是爱德华。他的手像爪子一样举过头顶，张着血盆大口，两颗门牙又尖又长，下巴上还沾着血迹。

尤比特惊呆了，踉跄地后退了几步。薇姬和尼克拉住他，以免他撞上石柱子而受伤。

“我和你们说过，你们是逃不出我的手掌心的！”吸血鬼狰狞一笑，他血红的双眼闪着光，他撕破披风的镶边，把碎片抛向空中，自己跳了起来。像一只大蝙蝠一样飞了起来，朝着惊恐小虎队的三个成员直冲过去。

尤比特他们好像被有血红色衬里的黑色披风吞噬了。

吸血

“抓住你们了！”吸血鬼尖笑了一下。他张开披风，用他细长的爪子摸索着寻找他的囊中之物，但是他扑了个空，哪里有他们的踪影！

吸血鬼暴跳如雷，生气地大喊一声，转了个身。尤比特正爬出窗外，其他两个人已经逃了出去。

“你们逃不出去的！”爱德华生气地叫嚷着，朝着尤比特扑去。

“快点！站稳了！”尤比特催促地说道。

“我们被困住了！”尼克说。

他们站在一堵墙边的突出部分，离开地面至少有五米。

“再远点，快离开窗户！”尤比特命令道。

薇姬和尼克颤颤巍巍地紧贴着墙面，小心翼翼地移到另一边。

爱德华已经来到了窗口，他把手伸出窗外，想要抓住尤比特。

尤比特感受到吸血鬼的爪子碰到了自己的衣服，大声喊着：“啊啊啊啊啊啊！”吸血鬼的爪子非常锋利，抓破了衣服，把它撕扯成了碎片。

“再过去点！快点！”尤比特再一次焦急地喊着。

“过不去了！”薇姬无奈地说。

此时，吸血鬼也已经从窗子里爬了出来，他动作敏捷得像一只黑猫，在狭窄的墙面上平稳地前进着，越来越靠近尤比特。

越来越近，越来越近！吸血鬼一伸手似乎就可以抓住尤比特了。他伸出手，抓住了尤比特衣服上的碎片。尤比特感受到了吸血鬼不可思议的邪恶力量，他只需要轻轻地一拽，尤比特就逃脱不了他的控制了。

“你是我的！”爱德华大叫。他拉扯着尤比特的衣服，将他拽过去。吸血鬼像享受猎物一样贪婪地闭上双眼，张大了血盆大嘴，将牙齿对准了尤比特的喉咙。

尤比特爆发出一阵撕心裂肺的吼叫。爱德华很享受尤比特的惊恐害怕，但紧接着他睁大了双眼，直直地瞪着空空如也的外套。尤比特早已经逃脱了魔爪，和他的同伴在一起了。

他们三个人手脚颤抖地经过外面的窗台，已经移到了一个小壁龛上。

这下彻底地激怒了吸血鬼！他的眼睛中放射出骇人的凶光，脸扭曲变形，充满了野性嗜血的恐怖。他急速地滑过窗台，手和脚紧紧地贴着墙壁，像只苍蝇一样。

“他马上要抓住我们了！”尼克紧张得几乎说不出话来。恐怖和害怕就要使他窒息。

“快往下跳！”尤比特和大伙耳语说。

“你疯了吗？我们会摔死的！”薇姬反驳尤比特说。

“快往下跳！”尤比特没有好气地重复了一遍。

就在其他两个人还在犹豫的时候，尤比特向下一跃，犹如一块大石头消失在黑暗中。薇姬和尼克等待着砰的一声巨响，但是没有听到。取而代之的是一声扑哧声和尤比特的惊呼，好像遇到了什么恶心的东西。

爱德华激动得全身都在发抖。“哈哈！你们跑不掉了！”他一边幸灾乐祸，一边威胁他们。

“快往下跳！这下面是粪坑！”从下面响起了尤比特的声音。

那只野兽般的爪子穿过空中又伸向了尼克。尼克看见他扑过来，弯下腰并用力一跳。薇姬也跟着一同向下跳去。两个人非常轻柔地掉进粪堆里，臭粪向四处溅去。

“天哪！太恶心了！我透不过气来了！”薇姬可怜兮兮地呻吟。

三个人好不容易才从粪堆里爬出来，来到了城堡前的空地上。

“棺材！我们必须回到棺材里去！这是我们唯一的机会！”尤比特喊着。

“你可太聪明了！”薇姬讽刺地说，“那我们干吗要跑出来呢？”

吸血鬼就站在他们上面，他的斗篷此时又变成了蝙蝠的翅膀。

就在不远处有马匹的嘶鸣声，马还在不停地踏着蹄子。

“快看！那是达瑞姆医生的马车！”尼克大叫，“快上车！我们可以坐马车离开，达瑞姆医生会帮助我们的！”

他们朝着马车冲过去，车里面正是达瑞姆医生，那位吸血鬼捕手。

“别！等等！”尤比特大喊。

惊恐小虎队的问题：
为什么尤比特要阻止呢？

走投无路

一只冷冰冰的手慢慢地从马车里伸出来，紧紧地抓住了薇姬的肩膀。薇姬吓得几乎四肢瘫软，她被高高地举了起来，双脚离开了地面。

达瑞姆医生小小的眼睛中闪烁着贪婪的眼神。

“爱德华在墓穴里把达瑞姆也咬了，现在他也成了吸血鬼，那声叫声就是他发出来的，锤子的声音是爱德华故弄玄虚，用来迷惑我们的！”尤比特忽然之间明白了一切。

他们的身后忽然沙沙作响，吸血鬼仿佛平地而起一般从他们的身后冒了出来。

“真聪明！小毛孩真聪明！”他讥讽地笑着。

“你为什么要把我们带到这个地方？”尤比特想要知道。

爱德华惊讶地竖起了眉毛，他说：“我不知道你在说什么！”

“快来救我！”薇姬大喊。

男孩子们转向了薇姬，顿时惊呆了！马车里的吸血鬼就快要把薇姬拖入车里了！

这时在他们的上面有哐当的声响，尼克抬头一看，告诉尤比特：“大门开了，棺材被抬了过来。刚才的四个人抬着棺材，好像里面有人似的。”

爱德华爆发出一阵笑声，说："蠢货！我待会儿再来收拾你们！想把我埋在墓穴里，休想！我敢发誓！"

其中的一个人看见了吸血鬼，叫喊着："那儿！他在那儿！原来楼梯上的人就是他！吸血鬼还活着！"

那四个人惊恐地扔下棺材逃跑了。棺材哐当一声掉在台阶上，顺着台阶咣当咣当往下滚。最终棺材重重地掉在了地上，盖子被震开来。

尤比特没有丝毫犹豫，他抓住薇姬的腿，一把就将她从吸血鬼手里夺了过来。当爱德华扑向他们两个的时候，尤比特已经把薇姬推到了一边，而他自己在胸前用手臂做了一个十字，挡住了吸血鬼的进攻。爱德华尖叫一声，急忙向后退，好像受到了非常大的痛苦似的。

"快！快进棺材！"尤比特喊着。

"但是如果不行怎么办呢？我们会被抓住的！我们就会被吸血鬼咬死的！"薇姬呻吟着。

"闭嘴！"尤比特怒骂道。他抓住了朋友们的胳膊，拽着他们就跑。在棺材前面他们稍微迟疑了一会儿。

"你们如果想留在这里，随便你们，我可是要回去！"尤比特说着，跳进了棺材里。棺材里软绵绵的东西仿佛蜘蛛网一样将他包裹起来，让他一阵恶心。

两个吸血鬼张牙舞爪地向他们扑来，薇姬和尼克终于下定了决心，跟着尤比特跳进了棺材。薇姬从里面关上

了棺材的盖子。他们听见盖子发出砰的一声以及咔嗒一声上锁的声音。棺材里面漆黑一片，他们几乎透不过气来，局促不安地躺在狭窄的棺材里。

吸血鬼的爪子在棺材的金属表面上一阵狂抓猛打。他们拨弄着锁扣，锁扣发出滴答的声音，棺材的盖子被掀开了。

三个人爆发出一阵惊呼。

尤比特失算了，棺材没有把他们带回去。他们落入了吸血鬼的手里，再也没有逃掉的可能。

一双冰冷的手伸向他们。

“你们到底回过神来没有？”三个人的头顶上似乎响起了一声炸雷。

他们抬起头，看见的是一束手电筒里发出的刺眼的亮光。他们警觉地伸手遮住眼睛，从指缝里往外窥看。伦丝克夫人正举着手电筒，非常气愤地一边拄着拐杖，一边喊：“快给我出来！你们这群喜欢捣乱的小浑蛋！我要给你们点颜色看看！我要告诉你们的家长！”

尤比特、薇姬和尼克爆发出一阵欢呼声，兴奋地跳出了棺材。他们终于又穿回自己原来的衣服了。几个人贪婪地呼吸着储藏室里发霉得令人窒息的空气，尼克出于兴奋，居然抱住了伦丝克夫人转了个圈。

“快放手！这是干什么？”伦丝克夫人大喊着。

“我们又回来了！我们成功了！他没抓到我们！”三个人仍然不断地在欢呼着。

“你们在胡说些什么？你们到底在我的商店里干什么？”伦丝克夫人问他们。惊恐小虎队的三个人因为兴奋，根本就没有听她在说什么。

“我还想要知道，我的侄子藏在了哪里？他本来应该在店里等一名顾客的，但是什么话也没说就走了。”旧货商店的店主向他们诉苦。

“凯不见了？”尤比特大惊。

“你们快看！”尼克俯下身体，吃力地将那幅爱德华·冯·蒙特内罗的肖像画举了起来。画面上已经不是原来那个年轻的男子，出现的居然是那个吸血鬼爱德华。画面非常准确：白蜡一样的脸，头发枯槁，又长又利的牙齿和血红的双眼。

“你们是不是疯了！怎么能把画弄成这副模样？”伦丝克夫人愤怒至极。

“不是我们干的！它自己变成这样的！”尤比特忙着辩解说。

“不可能！绝不可能！”伦丝克夫人怒气冲冲地说。

“这绝对是一口吸血鬼棺材！”薇姬解释说，“但是吸血鬼已经不在这里面了！”

尤比特的脑海中闪过一个可怕的念头。“难道他已经

逃脱了？难道……他已经游荡在外面了？”

三个人不禁毛骨悚然。

伦丝克夫人把手臂交叉放在胸前，责备地打量着三个惊恐小虎队的成员。

“还不赶快结束你们的胡闹！这世界上根本就没有什么吸血鬼！这些都是你们自己乱想出来的，是不是想来吓唬我？尤比特！我会告诉你爸爸的！”

没有办法，伦丝克夫人根本不相信他们说的话。三个人紧张地四处打量，爱德华会藏在哪里呢？

伦丝克夫人不由分说地把三个人赶出了旧货商店，

外面是凉爽的夏夜。

尼克缩了缩脖子，巷子里漆黑一片，所有的路灯似乎都坏了。

“这可能就是爱德华在这里的证据！”尤比特悄声说。

“喂！你们觉得凯怎么了？”尼克问其他人。

尤比特点了点头，一个非常可怕的念头从他脑海中闪过。在棺材的丝绸衬里的皱褶中，他发现了凯的眼镜。难道凯也被关在城堡里面吗？难道凯已经被吸血鬼咬了吗？

“我知道我们要干什么了！”薇姬忽然说，“我们回家之前先去买点东西，就算用光我所有的零用钱也没关系！”

男孩子们不知所措地望着她，不知道她在说什么。

夜间访客

蔬菜店老板是一个矮个子的和蔼的男人，笑起来眼睛周围堆满了皱纹。他就住在店铺里，当三个人进去的时候，他正准备吃晚饭。

“你们买大蒜干什么？”他和蔼地问道。

“是用来对付吸血鬼的！您也应该在脖子上戴一串！”三个人向老板建议。

“不错的玩笑！真不错！”蔬菜店老板笑起来，他的肚子也跟着一鼓一鼓的，“你们在玩捉迷藏的时候就不能吃大蒜，不然几米远就能闻到味道了！”

“谢谢您的建议！”三个人叽里咕噜地说着。三个人脖子上都戴了一串大蒜，顿时觉得轻松了不少。但是尽管如此，三个人还是箭一般飞奔回了家，跑得几乎都岔了气。

第二天放学后，尤比特又召开了一次惊恐小虎队的成员会议。

会议结束后尤比特回到法尔肯费尔斯城堡的时候，已经是晚上十点多了，他踮起脚，悄悄地经过卡茨教授的书房，里面还亮着灯。

“你到哪里去了？你早就应该上床睡觉了！”这时响起了卡茨教授的声音。

尤比特叹了口气，走进了爸爸的书房。

“伦丝克夫人打来了电话，大发雷霆！”卡茨教授说，“你们是怎么打开棺材的，又是为什么要藏在棺材里呢？”

尤比特在一张凳子上坐定，将事情的大概经过告诉了卡茨教授。

尤比特说完，卡茨教授微笑着说：“我想，你们是想给那位老夫人开个玩笑，但是没想到自己却在棺材里睡过头了吧！在棺材里当然比较容易打瞌睡！”

尤比特急忙摇了摇头：“不是的！不是的！我肯定，吸血鬼逃了出来！”

但是卡茨教授不相信尤比特的话，而且教授正在写一篇关于通灵的文章，不想被打断，于是就把尤比特送回房间，让他赶紧上床睡觉。

尤比特毫无睡意，他躺在床上，头枕在手臂上，眼睛直直地望着天花板。这时窗外有什么东西在扑棱着翅膀，还敲打着窗户玻璃。

尤比特吓得跳起来，吸血鬼来了！

原来是他的乌鸦可可。它是尤比特两年前在雪地里发现的，当时的可可翅膀受了伤。尤比特把可可带回家，精心照顾直到可可痊愈。不久，尤比特就发现，可可不是一只普通的乌鸦，它很温驯，有很强的模仿力，可以模仿人的说话声和其他各种各样的声音，也能感应超自然的东西。可可的伤好了后，它却不愿意离开了，于是就住在法尔肯费尔斯城堡的塔楼里，时常还能看见它出现在尤比特和爸爸的房间里。

尤比特打开了窗户，把可可放了进来。乌鸦在桌子上跳来跳去，从一个小袋子里叼出风干的果实。

吸血鬼现在在哪里呢？他会不会回到了棺材里呢？尤比特思索着，他决定第二天还是要去旧货商店看一看，反正伦丝克夫人又不会吃了他！

尤比特终于迷迷糊糊地进入了梦乡。忽然一阵轻微的敲打声惊醒了他，他睡了多久了？

他房间里的台灯依然亮着，可可蹲在书架上，用翅膀挡着脑袋，也已经睡着了。

又出现了敲门的声音，有人在大门外，正敲打着门把手。尤比特心想，爸爸会去开门的。

嗒！门外的走廊上一片寂静，没有脚步声。

正是漆黑的深夜，尤比特拿起闹钟一看，指针指向了一点。

嗒！嗒！敲门声十分轻微。

尤比特在被窝里斗争了一会儿，然后才光着脚，摸索着走到过道上，径直走到爸爸的书房。书房里已经没有了灯光，卡茨教授趴在打字机前已经沉沉地睡去。尤比特凭经验知道，在这种时候，他的爸爸是雷打不动、炮轰不醒的。

嗒！嗒！嗒！

会是谁呢？

尤比特的心也剧烈地怦怦直跳，如此有力，如此强烈，尤比特感觉到自己的胸腔也被震动起来。

门上没有猫眼，所以尤比特看不见外面是谁。他想要问外面是谁，但是根本就发不出任何声音。

他应该开门吗？

惊恐小虎队的问题：
他应该开门吗？

深夜中的敲门声

尤比特鼓足勇气，抓向老旧沉重的门锁，他转了两圈，将门打开一条小缝。

在门外微弱的灯光下站着瑟瑟发抖的凯。

“终于开门了！快让我进去！”他有气无力地说着，挤过尤比特的身边就往屋子里走。凯浑身像冰块一样，冷得浑身发抖。

“让我看看你的牙齿！”尤比特命令地说。

凯奇怪地皱了皱眉头。

“张开嘴！”尤比特大喊。

凯听话地张大了嘴，尤比特松了口气，幸好他的怀疑没有得到证实。凯的牙齿仍然是正常的。

“你到哪里去了？你是不是也去了蒙特内罗伯爵的城堡里？”尤比特一边小声地问凯，一边将大门锁上。

凯看起来筋疲力尽，像一只大麻袋一样瘫坐在了地上，他可怜巴巴地蹲在地上，不停地揉搓着自己的手指，说：“我……我看到吸血鬼了……他想来咬我，但是我逃出来了，旧货商店的储藏室有一个后门！”他轻声地说着，“我一直藏在垃圾桶里。”

尤比特屏住了呼吸，果然有一股垃圾堆的难闻气味。

“那吸血鬼呢？”尤比特问。

“吸血鬼直到后来才出来，我想他肯定在找我，但是忽然一下子他又消失不见了。我躲在垃圾桶里好久都不敢出来。”凯尴尬地用手指不停拨弄着他脏兮兮的鞋子，继续说，“后来又这么晚了，我的姑姑早就不见了，我……我不想回家，我的姑姑肯定会狠狠骂我一顿的！于是我想起了你，我知道你住在这儿。”

“你今晚打算睡在这里吗？”尤比特问凯。

凯默默地点了点头。

“好吧，但是先给你姑姑打个电话。她肯定为你担心了。”

凯起先不肯，但是最后还是听从了尤比特的话。

尤比特拿出气垫床和睡袋，把它们放在他的房间里铺好。

凯发现了尤比特摆在床边上的大蒜，也伸手拿了一个。“还是安全点好！”他说着，尴尬地挤出了个笑脸。

凯的头一碰上枕头就陷入了熟睡中，尤比特却仍然无法入睡。他的脑海中仍然盘旋着一个问题：吸血鬼是如何从棺材里逃出来的？

有一点是很明确的，不管是铁链还是密封都对吸血鬼起不了作用。一定是什么其他的方法，才能在这么长的时间里制止住吸血鬼逃出棺材。

吸血鬼到底在棺材里关了多久？一年？五年？十年，

也许甚至上百年？

他被关在棺材里越久，他的嗜血愿望就越强烈。今天晚上他是不是就已经得逞了？

今天晚上，电视里正转播一场足球比赛，大街上几乎没有什么人。

“我们肯定能够抓住吸血鬼！”尤比特嘟囔着。

但是怎么才能抓住他呢？

直到外面天微亮，尤比特才睡熟。他知道，白昼亮光可以保护他，吸血鬼是害怕日光的，因为太阳的光线可以使他变成灰烬。

凯就读的学校和惊恐小虎队的成员一样，在课间休息的时候，几个人相约着在学校的操场上见面。

尼克打着哈欠。

“你嘴巴张得都可以看见你的扁桃体了！”薇姬开着玩笑。

“对不起，但是我也不知道怎么会这么累！”他环顾了一下众人，说，“我觉得今天我们所有的人看起来都像吸血鬼！”

薇姬和尤比特吃惊地摸了一下脖子，他们已经被吸血了？难道是自己没有意识到？

“放松！别紧张！”尼克安慰大家，“我是说，我们几个人的脸色都很苍白，眼睛下面都有黑眼圈了，看起来像吸血鬼。”

尤比特告诉他们，自己在刷牙的时候脑子里冒出了一个念头：“爱德华有目的地把我们推进棺材，那棺材具有一种神秘的魔力，你们都明白的，就好像是做了一场梦，一个睁着眼睛的梦，太可怕了！”

“那叫幻觉！”薇姬纠正他。

尤比特扮了个鬼脸，有时候薇姬的自作聪明真让人受不了。尤比特还没说完：“只有我们知道爱德华离开了棺材，我害怕他会对我们不利，他一定会来追杀我们。他不能让任何暴露他秘密的人活着。他在棺材里关了这么多年后，好不容易才又重获自由。”

“但是锁链是关不住他的！”尼克抢着说。

“锁链是不行，肯定是有另一样什么东西。我是这样想的：爱德华被关在棺材里很长时间，几乎就要干瘪了。他的画像也变成了正常的样子。这两样东西一直被西伯利亚的伯爵保存着。然后，棺材和画像就来到你姑姑的旧货商店，凯。”凯听到这里紧张地咬着自己的指甲。

“爱德华抓住了机会，他想要出来，所以他在棺材里发出敲打声了。”尤比特继续说。

薇姬擦了她的眼镜不下十次。“但是如果锁链和密封对他都不起效果，到底是什么东西才能困住他呢？”

对此，尤比特也有所考虑。“一定是原来在棺材上的什么东西，但是这东西现在被移开了，而且一定就在凯进入储藏室并且掉进棺材里的时候，因此，凯可以逃出来，而我们却不可以。”

三个人都疑惑地盯着尤比特，尼克问道：“是不是有人动过棺材？”

凯耸了耸肩，抱歉地笑了笑，很明显，他也不知道。

“爸爸肯定有关于吸血鬼的书。我们下午碰头，一起去查一查！”尤比特最后决定。

惊恐小虎队的碰头地点是一个塔楼，它以前是法尔肯费尔斯城堡的一个刑讯室。下午，尤比特、薇姬和尼克聚在那里，在厚厚的书堆中寻找着答案，并且用笔记录了下来。

有了这些知识，他们满怀信心地前往旧货商店。伦丝克夫人正巧不在，凯正蹲在一个小木箱上，读着一本吸血鬼的小说。当惊恐小虎队的三个人进门的时候，凯吓了一跳。

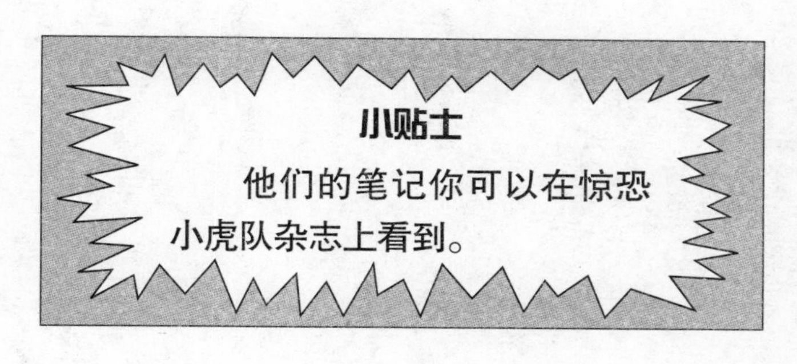

“我……我知道了！”凯激动地说，“在吸血鬼逃出棺材前，我的姑姑把棺材打扫了一下。原先的棺材很脏，都是灰尘，在铁锁链的下面还有一些干枯的叶子。”

尤比特立刻就知道，用什么方法可以制伏吸血鬼了。

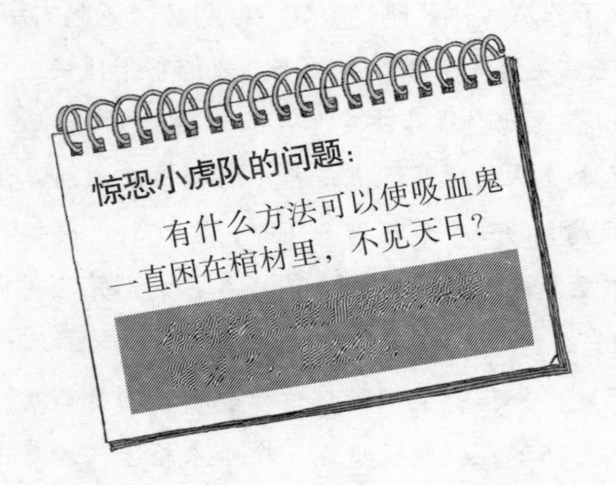

打开棺材

薇姬瞥了一眼门帘，门帘的后面就是储藏室。她轻声问："你们觉得吸血鬼现在在棺材里吗？"

吸血鬼棺材看起来毫无变化，画像上的爱德华依然是吸血鬼的样子。

"我们进去瞧瞧！"尤比特决定。

尼克敲敲额头，说："你是不是还没受够啊？打开棺材？没门！说不定他就会跳出来抓住我们！你难道忘记了在墓穴里的事吗？"

尼克说得对。但是对于他们来说，根本没有别的办法。

凯激动地打着响指，好像在学校里似的。"我有办法了！"他叫起来，"这里有一个后门，一个人站在那儿。如果吸血鬼真的在棺材里，我们就把门打开，这样太阳就能照射进来，烧掉吸血鬼。"

这个主意虽然不是那么让人振奋，但至少安稳了大家的情绪。四个人都踮起脚，屏住呼吸，悄悄溜进储藏室，来到棺材前面。凯站在后门口，薇姬、尤比特和尼克站在棺材前。

"我数到三，然后我们就把盖子掀开！"尤比特轻声地部署着，"你们准备好了吗？"

所有的人都点点头："一……二……三！"

三个人都使出浑身的力气掀起沉重的棺材盖子。但是出人意料的是，棺材的盖子却轻如鸿毛。它飞到空中，啪的一声掉落在地上。惊恐小虎队的三人吓得叫了起来，跌跌撞撞地往后退。棺材里面正是吸血鬼！他那长长的黑色斗篷盖在上面。

“开门！凯！快把门打开！”三个人大叫。

凯晃动着门闩，但是门却打不开。他颤颤巍巍地寻找着钥匙，钥匙却插不进锁眼里。

“快让开！”尼克和尤比特大喊着，撞向了大门，“哎哟！”两个人呻吟着，揉搓着疼痛的肩膀，门依然纹丝不动。

“快出去！快出去！”薇姬大叫。

男孩子们又做了一次尝试，这一次他们助跑了。轰隆一声，门被撞开了。在原来门锁的地方，现在被他们撞出一个大洞。

“不！”尤比特呻吟着说。

他们站在一个不透光的后院里。院子的围墙外面可以看到高高的房屋，依稀可以看到太阳光，但是太阳光却不能照射到院子里来。

“快逃出去！快逃出去！从商店里逃出去！”薇姬重复地说着，把门帘掀到一边。

从蒙着灰尘的脏兮兮的玻璃，透进来一丝阳光，但光线落在离棺材几米远的地上。

“我们得把棺材推到那里去！”尤比特大喊。

突然一个黑色的身影出现在门口，太阳光被挡住了。

饥渴嗜血

“游戏结束了！”那个身影说。

尤比特、薇姬和尼克睁大双眼，瞪着那个身影，大气都不敢出。那个身影逆着光向他们走来。

“姑姑！”凯轻声地嘟囔着。

“我已经对你们的胡闹忍无可忍了！”伦丝克夫人怒不可遏，不停地用拐杖敲打着地面。

“但是这一次我们可以证明！吸血鬼就躺在棺材里！”尤比特指了指身后。

伦丝克夫人向后晃了晃头，笑了起来。她把三个孩子推向了一边，用食指点了点她的侄子，毫不慌张地走向了棺材。她的拐杖碰到了黑色斗篷，将它挑到空中。

“这个东西搁在我这里已经好几年了，昨天我把它扔进了棺材里，这就是你们看到的‘吸血鬼’！”

“真失败！”薇姬说。

“如果你们还不消失，我就要叫警察了！”伦丝克夫人威胁他们说。

三个人慢腾腾地沿着越来越窄的小巷子走着。即将落山的太阳将屋顶染成了一片红色。

“天马上要黑了！”尼克打了个寒战，他还从来没有对黑夜有如此巨大的恐惧，“我们该怎么办？”

尤比特深深地叹了口气说:“走吧,我们对爱德华已经无能为力了。我们这次有点太离谱了。人们是不应该与吸血鬼对着干的!这是我们的错误,现在也只能我们自己承担。”

薇姬和尼克诧异地看着他,问道:“你是认真的?”

“当然!”

空地上的篝火噼噼啪啪地燃烧着,静静的黑夜显得有点阴森恐怖。火光冲天。薇姬、尤比特和尼克围坐在篝火前,神色黯然地盯着火苗。

“你们真的觉得坐在外面安全吗?”尼克至少问了不下十次。

“会发生什么事呢?”薇姬指了指挂在脖子上的大蒜。

从法尔肯费尔斯城堡里走来一个人。

“是你们三个人啊!有什么值得庆祝的吗?”卡茨教授惊讶地问。

尤比特、薇姬和尼克一言不发地望着他。

教授站在离他们几步远的地方,双手插兜,说:“我一点也不喜欢你们现在愁眉苦脸的样子。干吗挂一串大蒜在脖子上?”

“你不是应该知道吗?”尤比特说。

他的爸爸大笑起来:“你们认为大蒜可以抵抗吸血鬼?别妄想了!最近的研究表明,大蒜只会让吸血鬼更加疯狂。肯定是从前某个吸血鬼说服了一个所谓的研究者，说大蒜可以驱逐吸血鬼，一派胡言。扔掉大蒜吧！”

“只能听你的了。”尤比特叹了口气，把大蒜扔进了火堆里。接着尼克也这么做了。

湿漉漉的大蒜在火焰中像爆竹一样炸了开来。“快点！你也是！”尤比特说着，伸出手抓下薇姬脖子上的大蒜，把它们扔进了火堆里。

“这下好多了！”卡茨教授说。

“快到我们这儿来！”尤比特发出邀请。

“我当然很乐意到你们这儿来！”他爸爸回答说，到最后一个字的时候他的声音忽然变得深沉嘶哑起来。三个惊恐小虎队的成员吃惊地望着他。

随着一阵烟雾卡茨教授消失不见了，他的身影变得恐怖吓人。尼克害怕地用手捂住了嘴。

烟雾消散，出现的是爱德华。当然不是画像中的年轻男子，而是吸血鬼爱德华！是被关在棺材中许多年的吸血鬼！爱德华全身干瘪，好像是一只穿越沙漠的骆驼。

他的脸庞变得更加消瘦和苍白，他的脖子更加细长干瘪，骨头在干枯的皮肤下泛着光。

“是你们妨碍了我！”他嘶哑地喊着，“是你们妨碍了我！”他黑色的舌头舔了一下下巴，尖利的牙齿往前弯曲着。

“我要吸血！我要吸血！”

篝火中最后一瓣大蒜正化为灰烬。

“我们中计了！”薇姬呻吟地说。

三个人立刻跳开，往后退去。

他们的头顶上响起了刷刷声。

吸血鬼从他原来站的地方消失了！

“我在这儿！”从对面传来他干枯的声音。尤比特、薇姬和尼克转着圈寻找他。

“你……你是怎么办到的？”尤比特结结巴巴地说。

又是刷的一声，吸血鬼出现在他们的右边，然后是左边，接着又是前面、后面，紧接着又是右边、左边、后面、前面。

惊恐小虎队的三个成员被弄得晕头转向。

“不一会儿，你们也会和我一样！”吸血鬼向他们保证，“我要从谁开始呢？”他打量了一下三个人。

薇姬和两个男孩子仿佛脚下生了根，丝毫不能动弹。看样子是跑不掉了。吸血鬼伸出干瘪的手臂，一步一步地逼近他们。“我要吸血！我要吸血！”

“不！”三个人说不出更多的话，“不要！”

爱德华的脸上出现了一丝残忍而贪婪的诡笑。

惊恐小虎队的问题：
三个人能再一次阻止吸血鬼吗？

补习老师

还是尼克急中生智，想出了一个救命的主意。他蹲下身子，捡起他需要的东西。

吸血鬼两步过来抓住了他的夹克，一把把他拎到空中。

“你就是第一个！”他嘶哑地叫喊着。他仰起头，准备使劲儿地咬向尼克的脖子，吸血鬼的眼睛里闪着饥饿和仇恨的凶光。

“啊啊啊啊啊啊啊啊啊啊！”一声惊叫划过夜空，薇姬和尤比特仿佛被泼了一瓢凉水，“啊啊啊啊啊啊啊啊啊啊！”

“尼克！尼克！”薇姬失声痛哭。

然而不是尼克在叫喊，而是爱德华。尼克从地上捡起了两段树枝，拼成了一个十字架，爱德华叫喊着迅速地离开了尼克，边退后边用手遮住了眼睛。

“是时候了，快！”尤比特大喊。

从一个灌木丛里，凯一跃而起。他拖出了吸血鬼棺材，把盖子打开，随后使出全身的力气，推着棺材就从后面撞向吸血鬼的膝关节。爱德华失去了平衡，往后一仰，正好倒在棺材里。

吸血鬼大吼着：“这是没用的！我还会逃出来的！我

比你们任何一个人都强！”

忽然他化成一团灰色的烟雾，升到空中，随即消失得无影无踪了。

“可恶！我们动作太慢了！”尤比特生气地骂道。

四个人都知道吸血鬼会再次回来，他们原本的计划是，将吸血鬼引入棺材，棺材上已经放上了野玫瑰，但是凯的动作太慢，没有及时地关上棺材盖子。

“快回城堡里！”尤比特指挥大家。

他们的计划失败了，但是爱德华不会抓到他们，因为在城堡里很安全，没有受到邀请的人，是不能进入城堡的。

四个人飞速地奔回城堡里，踉踉跄跄地奔进大厅里，跑上楼去，那里是卡茨教授和尤比特的房间。四个人气喘吁吁地瘫坐在地板上。

“呼！功亏一篑！”薇姬叹口气。

凯用双手捂住了脸，哭着说：“都是我的错！我太没用了！”

楼下大门外传来了响声。

“尤比特！我回来了！”他们听见了卡茨教授的声音，“快下楼来！”

尤比特沿着楼梯慢慢地走下来，停在楼梯上不动，在那里可以看到大厅里的动静。他不禁倒吸了口凉气，爸爸的身边还站着另外一个人，他的衣领高高地竖起，挡住了脸庞，那会是谁呢？

“尤比特，你的补习老师把他的钢笔忘在你这儿了！”教授说。然后转身对那个男人说：“您请上楼吧！”

爱德华成功了！他混进了城堡！

尤比特大叫：“爸爸，他是吸血鬼！”

他的爸爸皱起了眉头，说：“别再胡闹了！”

吸血鬼佯装附和，说：“是啊，孩子们，别再胡闹了！”

说着，他几大步上了楼。

尤比特他们急急忙忙地跑回卧室，紧紧地关上了门。但是这阻挡不了爱德华，他从钥匙孔里钻了进来，窗外的月光洒入屋内，照射到一团烟雾，这团烟雾立刻化成了骨瘦如柴的吸血鬼爱德华。

“你们是我的美餐！”他恐怖地狞笑着。

惊恐小虎队的问题：
惊恐小虎队的成员还能够做什么？
SOLAR

吸血鬼夫人

埃拉斯穆斯·卡茨教授从门外敲打着卧室门。“嘿！你们为什么要把门锁起来？”他问道。

吸血鬼转过头，用嘶哑的声音说：“我给孩子们解释一点东西，马上就好了！”

当他转回头时，发现只有尤比特、凯和尼克，不见了薇姬的踪影。

“那个小丫头去哪里了？”他问。

从桌子后面发出咔嚓咔嚓的动静。

爱德华扑过去，掀开桌布。薇姬正趴在地上，正摆弄着什么东西，像绒毛玩具一样捧在手臂里。

“我要吸血！”吸血鬼嘶哑地吼叫着，伸手去抓薇姬。吸血鬼的手散发出的凉意让薇姬不寒而栗。

吸血鬼抓住薇姬的夹克，将她的头发拨到一边，想让她的脖子完全露出来。

“不！”尼克大叫。

吸血鬼的尖牙已经向前伸去。

却扑了一个空。

薇姬滚到一边，打开她怀抱着的小盒子，从那里面发出耀眼的光芒。

爱德华用手遮住脸，但是已经太迟了。他的嘴大张着想发出叫声，但是听不到任何的声音了。他的皮肤在

转眼间像秋天的落叶一般从身上剥落，化为灰烬。

爱德华悄无声息地陨灭了，只有在地上的一堆灰烬还让人想起他，四个人不知所措地站在那里。

薇姬第一个开口说话："真难闻！"

几个人费力地直起身体，摇摇晃晃地走向窗户边，打开窗户。

卡茨教授又来敲门。"你们到底在干什么呢？快把门打开！"

尤比特开了锁，门被推开，一阵强烈的风刮进了房间。

"你的补习老师呢？"尤比特的爸爸发问。

惊恐小虎队的成员指了指那堆灰烬的地方，但是那里却空空如也，那阵风把灰烬都刮到了窗外。

一个星期后的下午，尤比特、尼克和薇姬碰巧路过伦丝克夫人的旧货商店，他们决定和凯打个招呼，于是走进了商店。

但是商店里没有人。

"晚上好！"尤比特喊道。

没有回答。

"不会吧！又来一次！"尼克喃喃地说。

吸血鬼棺材又被拖回到储藏室中去了。在储藏室里，尤比特又有了新的发现，那幅画着爱德华·冯·蒙特内罗的画像上空空如也，这表示，吸血鬼已经永远消失了！

三天后，伦丝克夫人卖掉了棺材，棺材现在正躺在一个供游客观看的幽灵电车上。

爱德华现在如何，惊恐小虎队的成员们都不知道。但是他没有伤害到任何人，这一点他们都非常确信，而这也是最重要的。

一直到现在仍然没有人相信他们的话，甚至连卡茨教授也不相信他们，他一直都认为那个补习教师是尼克开的玩笑。

“喂！有人吗？”薇姬疑惑地问。

门帘被拨到一边，伦丝克夫人走了出来。

尤比特、薇姬和尼克吓了一大跳，正等着挨骂，但是出人意料的是伦丝克夫人却对他们笑了笑。

她怎么啦？

“我们是来找凯的！”尤比特说，“他在吗？”

伦丝克夫人的笑容更加明显，她张开了嘴唇，露出了两颗锋利的牙齿。

“不！天哪！”三个人赶忙跳开，转过身迅速地逃到大街上。

怎么回事？

怎么回事？

怎么回事？

伦丝克夫人露出了一个神秘莫测的笑容，她忽然摸向自己的牙齿，一下就把塑料尖牙拔了下来，笑了起来。

但是笑容在她的脸上凝固了，因为她忽然感觉到一只冰凉的手抓住了她的胳膊。她惊恐地回转身，在她面前站着的居然是惊恐小虎队的三个人。

“怎么……什么……你们怎么会在这里？”伦丝克夫人问他们。

“从后门！”尼克笑着，“您是不是觉得我们是吸血鬼，可以从地缝里钻出来啊？”

“咳！”伦丝克夫人叹了口气，“这可说不准啊！”

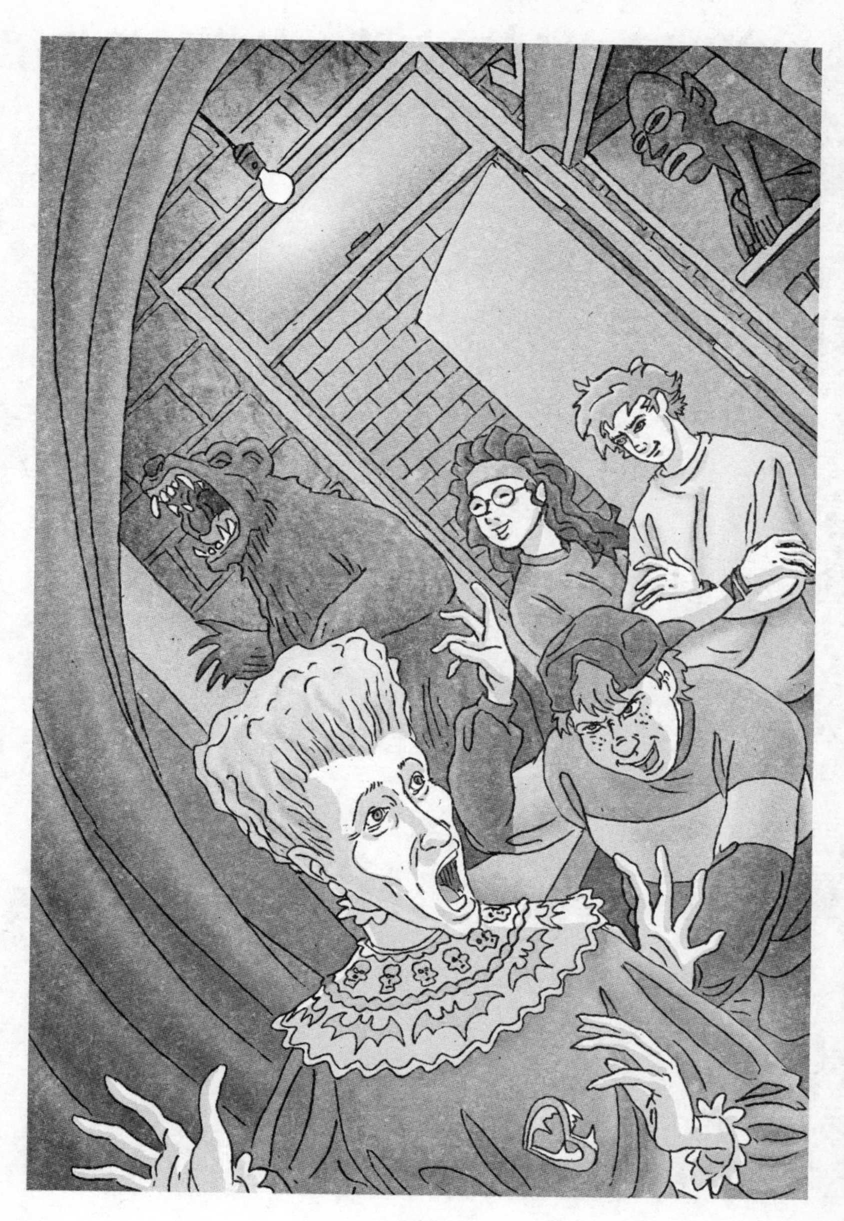

惊恐小虎队

杂志

弗兰肯斯坦博士真的存在吗?

弗兰肯斯坦的由来

玛丽 · 雪莱（1797—1851）

《科学怪人：弗兰肯斯坦》是一位18岁的姑娘于1816年创作的小说。这位姑娘名叫玛丽 · 雪莱。由于一场暴雨，玛丽 · 雪莱和她的几个朋友被困在了日内瓦的一家旅馆里。这群年轻人闲谈时决定，每人创作一个恐怖故事，比一比谁的故事最精彩最吓人。可是，最后只有玛丽成功地创作出了一个精彩的恐怖故事。她做了一个噩梦，梦见一个男人试图把死人变成活人。玛丽把梦境记录下来，两年之后出版成书，而她没想到这本书非常畅销，引起了一个阅读的热潮。

第一部有关弗兰肯斯坦的电影于1910年上映，图为电影的海报。

电影里的弗兰肯斯坦

每一部弗兰肯斯坦的电影都有一个经典的场景：电闪雷鸣之下，弗兰肯斯坦借助闪电的力量唤醒了怪物的生命。可

是，在玛丽·雪莱的原著里并没有关于这一场景的描写。电影的编剧改编了原著，添加了这一个经典的场景。

第一部有关弗兰肯斯坦的电影拍摄于1910年，由大发明家托马斯·阿尔瓦·爱迪生执导。

至今为止，人们一共拍摄了大约50部有关弗兰肯斯坦的电影。

其中有：《弗兰肯斯坦的儿子》、《弗兰肯斯坦遇见了德库拉》、《弗兰肯斯坦遇见了宇宙怪物》、《弗兰肯斯坦的新娘》等。

最近一部相关题材的电影由美国著名导演梅尔·布鲁克斯于1974年执导，片名为《少年弗兰肯斯坦》。该片曾在德国热映。

另外，在电影《少年弗兰肯斯坦》里，怪物的脖子上有的不是螺丝，而是拉链！

弗兰肯斯坦的怪物

每次一谈起怪物，人们总会不自觉地想起弗兰肯斯坦创造出的典型怪物。弗兰肯斯坦创造出来的怪物长着一个有棱角的脑袋，

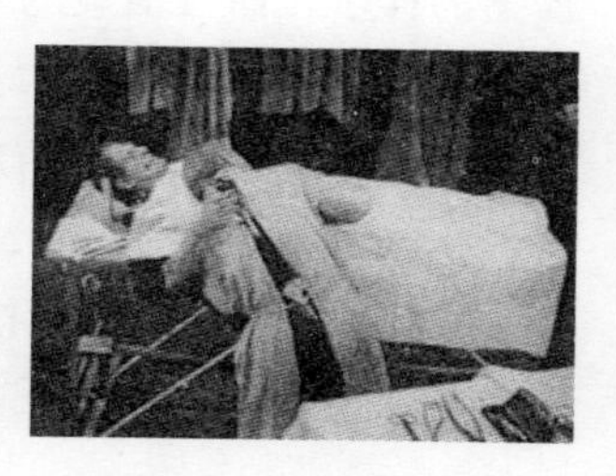

《弗兰肯斯坦》，1931年

世上最著名的“弗兰肯斯坦怪物”扮演者是英国演员威廉·亨利·皮拉特，他的艺名为波利斯·卡洛夫。

而且他们的脖子上都有一颗螺丝。

怪物的皮肤是绿色的，而且他们的动作迟缓、笨拙。

波利斯·卡洛夫是最早扮演“弗兰肯斯坦怪物”的演员之一。每次拍摄前，化装师需要三个多小时才能把演员化成怪物的样子，而且演员的戏服大约有25公斤重。为了能够行走，演员必须要在腿上绑好钢棒。

而在原著里，怪物的形象完全不一样：怪物长着一张友善的脸庞，而且长着一身黄色的皮肤。

噢！还有怪物的嘴唇是黑色的！

“惊恐小虎队”装鬼绝技

超级绝技

完全惊呆了！

天哪，太神奇了！

我竟然能够看到未来！

请想一个10—50之间的数字！

请看图中的神奇圆圈，并开始数数。黑色的星星是1，下一颗星星是2，然后是3，接下来鱼是4。请继续按照顺时针方向数下去。数到第二圈时，请排除掉星星。继续数，直到数到你所想的数字为止。然后倒数回去，你想的数字相对应的图形为1。请标出你所想的数字对应的图形。

注意：我现在就可以告诉你：你所想的数字对应的是蟾蜍！对吗？

肯定对，我每次都能成功地猜中！（除非你数错了，哈哈！）

薇姬的离奇故事
真话或谎言？

钱

在德语里有这样的说法：这值一大根钱呢！这个说法来源于非洲，那儿的人把铜棒当成货币。例如，两根铜棒可以购买一头母牛。

还是钱

你们肯定听过“花钱如流水”这句话吧？这种说法来源于夏威夷群岛，那里确实有液态的钱。那种钱由椰汁和菠萝汁组成，你可以用一杯满满的“钱”购买一根冰激凌。

奇怪的语言

在加那利群岛的戈梅拉岛上，居民说的是哨语，即居民通过吹口哨进行交流。通过哨语，居民可以和相隔8千米远的人交谈。

衣服

最著名的蓝色牛仔裤是在一所学校发明的。有一位学生不小心把蓝色的墨汁溅到了白色的裤子上，为了回家不挨妈妈责骂，他用墨水把整条裤子都染成了蓝色。这就是世界上第一条蓝色牛仔裤。

尼克讲笑话

今天，薇姬在学校里受到了老师的批评。她一脸不高兴地回到家，对妈妈说："老师真是太奇怪了！他们那么辛苦才教会我应该怎样讲话，可现在却总是让我闭嘴。"

尤比特非常口渴。爸爸："尤比特，这里有水！"
尤比特："你听错了！我不是脏，我是口渴！"

一只大象和一只老鼠踢足球。在争抢中，大象不小心踩到了老鼠的脚趾。老鼠痛得大叫，大象愧疚得直道歉。老鼠大度地说："没关系，我也有可能会踩到你！"

地理课上。

教室的墙上挂着一张地图。

老师："薇姬，给我指一指，美洲大陆在哪里？"

薇姬站起来指了指美国的位置，然后坐了下来。

"好！"老师继续问，"那么是谁发现了美洲大陆呢？"

全班同学异口同声地回答："薇姬！"

一位旅客气喘吁吁地跑到了站台上。

"我还能赶上去汉堡的火车吗？"他焦急地问火车站站长。
站长回答："那就要看您能跑多快了。火车刚刚开走三分钟。"

“惊恐小虎队”指数

请在图中标出你的指数。

在这一起案件里，你的“惊恐小虎队”指数到底有多高呢？

惊恐小虎队

杂志

太阳落山时，他醒了！

没有什么可以阻挡他！
他比德库拉更危险！

惊恐小虎队第一次遇见了一只活生生的吸血鬼！虽然这只吸血鬼只是独自出现，但是他却非常危险。人类永远无法全面地认识吸血鬼！

因此，我们收集了关于吸血鬼的大量信息，以便你们将来遇到吸血鬼时能够有所防备，而不是束手无策。

吸血鬼

吸血鬼是活着的死人。他们会在晚上出没，到处寻找血液。他们需要血液来维持他们的“生命”。

太可怕了！吸血鬼竟然这么厉害：

- 他们拥有强大的力量。
- 有些吸血鬼可以变形成狼，而有一些可以变形成蝙蝠。
- 吸血鬼出现在浓雾中，而浓雾是由他们自己制造出来的。
- 吸血鬼可以缩小到穿过狭窄的裂缝。
- 由铅水铸造的棺材无法关住一只真正的吸血鬼。

不过，吸血鬼也有弱点：

- 如果未被邀请，那么吸血鬼无法进入任何一栋房子。
- 吸血鬼惧怕阳光，因为阳光可以烧死他们。
- 在大蒜和十字架面前，吸血鬼毫无力气。
- 如果在棺材上放一朵野玫瑰，那么吸血鬼将无法出来。

吸血鬼有以下特征：

- 吸血鬼没有镜像。
- 吸血鬼没有影子。

黑暗之主

俄罗斯派吸血鬼

白天在坟墓里，俄罗斯派吸血鬼会啃咬自己的手和脚。可是，等到午夜时分，他们会从坟墓里爬出来，到处寻找血液。有时，他们甚至会吸取牛血。他们的癖好是聆听教堂的钟声。

保加利亚派吸血鬼

一旦被吸血鬼咬了一口，人就会变成吸血鬼。变成吸血鬼之后的40天里，保加利亚派吸血鬼的躯体还只是由空气和光线组成。保加利亚派吸血鬼必须先学会作恶，他们才能重获自己原来的躯体。不过，他们会稍稍地变形：他们只剩下一个鼻孔，而他们的舌头还会变得又长又尖。

吸血鬼诺斯法拉图，20世纪20年代的著名电影形象。

德国有三种不同的吸血鬼

瘟疫吸血鬼：他们传播危险的疾病，并散发出可怕的臭味。

德库拉：邪恶吸血鬼。

奇特吸血鬼：他坐在墓室里，紧握着左手的拇指。当他睡觉或者呻吟时，左眼一直睁着。

吸血鬼德库拉伯爵真的存在吗？

全世界吸血鬼的典范是残酷无情的弗拉德·德库拉伯爵。他生活在大约560年前的罗马尼亚。由于他像他的父亲一样嗜杀成性，罗马尼亚人民把他称做“德库拉”，意为“魔鬼之子”。不过，至今没有任何证据可以证明他确实是吸血鬼。

“惊恐小虎队”装鬼绝技

人造血液

电影或电视里的血液并不是番茄酱，而是流质糨糊和红色染料的混合体。如果你想要制造这种血液的话，请注意：如果不小心把这种“血液”沾在了衣服上，你将永远无法洗掉它留下的污迹。

德库拉的桌布

这是“恐怖聚会”中不能缺少的元素！它是白色的（最好由纸做成），上面有许多红色的血迹。所有客人的名字都用血液来写。

可以用红墨水假装“血液”。用手指写出客人的名字，这样写出来的字看起来比较恐怖。

可以吃的泥土

找来由深褐色面粉做成的巧克力饼干，把它捏碎并加水搅拌，然后晾干。晾干之后的饼干屑看起来非常像泥土，不过却是非常好吃的“泥土”。（千万别让你想要吓唬的人知道，这些“泥土”是怎么做成的！）

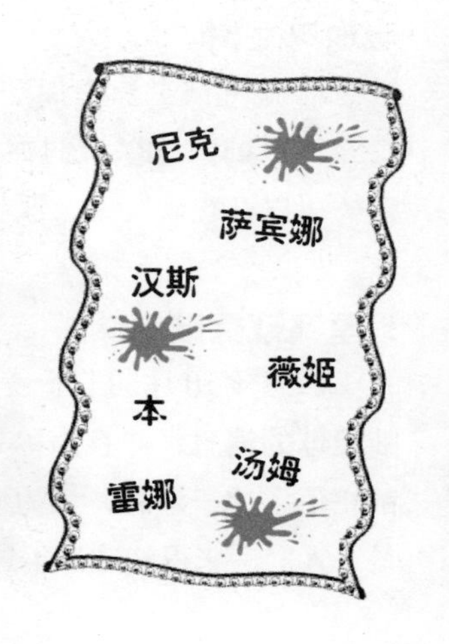

薇姬的离奇故事
真话或谎言？

吸血鬼的牙齿

在纽约一家自然博物馆里有一个小小的展览厅，展厅里展出的全都是吸血鬼的牙齿。其中有一颗牙齿是德库拉伯爵的。

讨厌的13

出于迷信，欧洲的许多高楼里没有第13层，飞机里也经常没有第13排。

粉丝俱乐部

德库拉伯爵有一个粉丝俱乐部。这个俱乐部并不在罗马尼亚，而是在美国加利福尼亚州的洛杉矶市。

吸血鬼之树

棕榈树只生长在加勒比海的某几个小岛上。由于它的树汁是红色的，所以人们称它为“吸血鬼之树”。根据传说，棕榈树可以在夜晚行走，吸取血液。

外星飞碟登陆地球

1938年10月30日，美国在广播里详细地报道了外星人登陆地球的消息，并且声称外星人想要占领地球。千千万万的人都相信了这一消息，认为地球确实受到了外星飞碟的攻击。可是，人们后来得知这只不过是一出虚构的广播剧。

尼克讲笑话

一个吸血鬼去看牙医。他指着他的尖牙给牙医看。

“我应该把它们磨平吗？”牙医问。

“不，你应该把它们削尖！”吸血鬼冷笑地回答。

吸血鬼爸爸对他的孩子说：“走，今天我请你们去血库大吃一顿！”

当一个专门捉野狗的人捉到了一只三头的冥府看门狗时，他会说什么呢？“我捉到你了！我捉到你了！我捉到你了！”

古杜拉姑妈敲门。小玛丽跑过来开门说：“不好意思，我妈妈不在家。”

“那你爸爸呢？”

“他也藏起来了！”

一个男孩儿冲进了一家商店。“快！快！快！我姐姐不小心坐在了一堆蚂蚁上！”

“你想买消炎药吗？”

“不，我的相机没有胶卷了！快给我一个胶卷！”

为什么一些怪物的脸上有这么多皱纹？

因为他们没有用熨斗熨平。

“我是一位天才音乐家！我会演奏156首曲目……用铁皮鼓来演奏！”

“惊恐小虎队”指数

请在图中标出你的指数。

在这一起案件里，你的“惊恐小虎队”指数到底有多高呢？